U0102309
9787546113722

中國美術全集

青銅器一

全國百佳圖书出版單位
APGTIME 時代出版
時代出版傳媒股份有限公司
黄山書社

☆ 國家出版基金項目

圖書在版編目（CIP）數據

中國美術全集・青銅器/金維諾總主編；孫華卷主編.—合肥：黄山書社，2010.6

ISBN 978-7-5461-1372-2

Ⅰ.①中… Ⅱ.①金… ②孫… Ⅲ.①美術—作品綜合集—中國—古代 ②青銅器（考古）—中國—圖録 Ⅳ.①J121 ②K879.412

中國版本圖書館CIP數據核字（2010）第111988號

中國美術全集・青銅器

總 主 編：金維諾　　卷 主 編：孫　華　　責任印製：李曉明
責任編輯：宋啓發　　封面設計：蠹魚閣　　責任校對：汪國梁

出版發行：時代出版傳媒股份有限公司(http://www.press-mart.com)
黄山書社(http://www.hsbook.cn)
(合肥市翡翠路1118號出版傳媒廣場7層　郵編：230071　電話：3533762)
經　　銷：新華書店
印　　刷：北京雅昌彩色印刷有限公司

開本：889×1194　1/16　印張：82.5　字數：442千字　圖片：2538幅
版次：2010年12月第1版　印次：2010年12月第1次印刷
書號：ISBN 978-7-5461-1372-2　定價：2400圓（全四册）

《中國美術全集》編纂委員會

《中國美術全集》出版編輯委員會

凡　例

一、編　排

1.本書所選作品範圍爲中國人創作的、反映中國文化的美術品，也收録了少量外國人創作的，在中外文化交流史上具有代表性的美術品，如唐代外來金銀器、清代傳教士郎世寧的繪畫作品等。

2.根據美術品的表現形式和質地，共分爲二十餘類，合爲卷軸畫、殿堂壁畫、墓室壁畫、石窟寺壁畫、畫像石畫像磚、年畫、岩畫版畫、竹木骨牙角雕琺瑯器、石窟寺雕塑、宗教雕塑、墓葬及其他雕塑、書法、篆刻、青銅器、陶瓷器、漆器家具、玉器、金銀器玻璃器、紡織品、建築等二十卷，五十册。另有總目録一册。

3.各卷前均有綜述性的序言，使讀者對相應類别美術品的起源、發展、鼎盛和衰落過程有一個較爲全面、宏觀的瞭解。

4.作品按時代先後排列。卷軸畫、書法和篆刻卷中的署名作品，按作者生年先後排列，佚名的一律置于同時期署名作品之後。摹本所放位置隨原作時間。

5.一些作品可以歸屬不同的分類，需要根據其特點、規模等情况有所取捨和側重，一般不重複收録。如雕塑卷中不收録玉器、金銀器、瓷器。當然，青銅器、陶器中有少數作品，歷來被視爲古代雕塑中的精品（如青銅器中的象尊、陶器中的人形罐等），則酌予兼收。

6.爲便于讀者瞭解大型美術品的全貌，墓室壁畫、紡織品等類别中部分作品增加了反映全貌或局部的示意圖。

二、時間問題

7.所選美術品的時間跨度爲新石器時代至公元1911年清王朝滅亡（建築類適當下延）。

8.遼、北宋、西夏、金、南宋等幾個政權的存在時間有相互重叠的情况，排列順序依各政權建國時間的先後。

9.新疆、西藏、雲南等邊疆地區的美術品，不能確知所屬王朝的（如新疆早期石窟寺），以公元紀年表示，可以確知其所屬王朝（如麴氏高昌、回鶻高昌、南詔國、大理國、高句麗、渤海國等）的，則將其列入相應的時間段中。

10.對于存在時間很短的過渡性政權，如新莽、南明、太平天國等，其間産生的作品亦列入相應的時間段中，政權名作爲作品時間注明。

11.某些政權（如先周、蒙古汗國、後金等）建國前的本民族作品，則按時間先後置于所立國作品序列中，如蒙古汗國的美術品放在元朝。

三、圖版説明

12.文字采用規範的繁體字。

13.對所選美術作品一般衹作客觀性的介紹，不作主觀性較强的評述。

14.所介紹内容包括所屬年代、外觀尺寸、形制特徵、内容簡介、現藏地等項，出土的作品儘量注明出土地點。由于資料缺乏或難以考索，部分作品的上述各項無法全部注明，則暫付闕如，以待知者。

四、目録及附録

15.爲了方便讀者查閱，目録與索引合并排印，在每一行中依次提供頁碼、作品名稱、所屬時間、出土發現地/作者、現藏地等信息。

16.爲體現美術作品發展的時空概念，每卷附有時代年表，個別卷附有分布圖，如石窟寺分布圖、墓室壁畫分布圖等。

五、其　他

17.古代地名一般附注對應的當代地名。當代地名的録入，以中華人民共和國國務院批準的2008年底全國縣級以上行政區劃爲依據。

18.古代作者生卒年、籍貫、履歷等情況，或有不同的説法，本書擇善而從，不作考辨。

中國美術全集總目

總目録
卷軸畫
石窟寺壁畫
殿堂壁畫
墓室壁畫
岩畫　版畫
年畫
畫像石　畫像磚
書法
篆刻
石窟寺雕塑
宗教雕塑
墓葬及其他雕塑
青銅器
陶瓷器
玉器
漆器　家具
金銀器　玻璃器
竹木骨牙角雕　琺瑯器
紡織品
建築

青銅藝術概説

在中國所有的視覺藝術中，銅器藝術是最具特色的藝術門類之一。

我們這裏所説的銅器藝術，是廣義的“銅器”的藝術，舉凡以銅爲主要材質的器物和像設都包括在内。在通常的藝術分類中，爲了某種具體的實用目的而製造的銅器和出于精神的需要而鑄造的銅像，是不同種類的兩類藝術品。二者除了功能上的差异外，在藝術類型學上也有所不同，銅器通常歸屬工藝美術，銅像通常作爲雕塑藝術。不過，如果我們不考慮使用功能，單純從視覺和造型的角度來看，銅器和銅像實際上并没有本質上的區别。那些人物或動物甚至幾何造型的銅器，它們與人物或動物的銅像除了大小體量和陳放環境的差异外，銅器與它所在殿堂空間和几案櫃架構成的相互關係，銅像也與它所在的殿堂廣場和基座背屏構成一種相互關係；銅器外部的造型，它上面凸凹的花紋，旁邊立體的附飾，與那些固定在廣場建築上的銅像，本身的造型及其與所在建築空間的關係，往往衹有中國的夏、商、周三代，如果用生産工具作爲劃分社會發展階段的主要標準，是屬于青銅時代。青銅時代是以青銅冶鑄技術爲當時最先進的技術門類和青銅器的廣泛使用爲特徵。青銅是指銅與錫或鉛的合金①，它具有熔點低、硬度大和鑄造性能好等優點，既能够適應當時的技術水平，又能够滿足人們不同用途的需要，因而從它産生起，在相當長的一段時期内得到了廣泛的應用，成爲當時製造武器、禮器、工具、容器和裝飾品的主要材料。

就世界範圍來看，中國的青銅器出現的時間雖然不很早，但它却以使用廣泛、數量巨大和工藝高超而著稱于世。先秦時期的中國，在冶金技術發明和推廣以前，玉器就已取得了超越其本身使用價值的特殊價值，再加上中國中心地區的黄金礦藏不很豐富，因而當冶金技術發明或引進後，早期金屬工藝不像西方文明古國那樣更致力于發展金、銀等貴重金屬製品，而是專注于傳統的非實用的玉石工藝品和新興的實用的青銅工藝品，使得中國青銅冶鑄工藝得到了超常的發展。在中國文明的主要發祥地黄河中下游地區，青銅被主要用作祀神祭祖的禮器和征戰的兵器，從而使中國青銅器帶上了原始宗教的神秘色彩和貴族的等級標志。莊嚴規整的中原系青銅禮器、神秘雄奇的南方系青銅用具、生動逼真的北方系青銅飾件等，構成了中國漢代以前整個青銅藝術的基本序列，并影響到了漢代以後的其他藝術的創作。即使在青銅時代已經結束了一千多年的宋代，模仿先秦銅器的仿古銅器藝術又一次影響了整個藝術創作，從宋至清，仿古銅器和形形色色的以仿古銅器爲藍本的其他材質的工藝品，將古老的神秘和猙獰一直延續了下來。

一、中國銅器藝術的起源

中國銅器藝術的起源，包括了起源時間、起源地域和起源背景諸方面的問題。其中最引人關注的核心問題，則是中國銅器冶鑄技術的來源問題。關于這個問題，向來有外來説和本土説兩種不同的學術觀點。

主張中國銅器冶鑄技術外來説的學者認爲，銅器冶鑄技術是從中國西北方的中亞和北亞地區傳入的。這些學者提出這種觀點的依據綜合起來大致有四條：一是中國已經發現的紅銅器和青銅器的年代都比西亞晚，與中亞和北亞略約同時，銅器冶鑄技術從西亞傳播到中北亞再傳播到東亞，這在時間先後次第上是順理成章的；二是中國西北的甘青地區是早期銅器（尤其是早期青銅器）集中的地區，其數量最多，分布最廣，且有較多的中國中心地區幾乎不見的砷銅器和草原風格的銅器，這些銅器在中亞和北亞有廣泛的分布；三是中國中心地區的銅器冶鑄技術發展的技術路綫不完整，最早的銅器是黄銅器，以後又以紅銅器爲主，青銅器在二里頭文化中大量出現且表現出較高的技術水平，這給人以突兀之感；四是考古材料已經證明，自公元前第二千紀初期以來，中北亞的古代族群就已經移動到了中國的西北地區，帶來了包括小麥、大麥等麥作農業種植技術，銅器冶鑄技術由這些古族或更早的古族帶來，這是完全可能的②。這些證據都相當過硬，中國冶銅技術外來説，目前仍然是具有相當影響力的一種觀點。

主張中國銅器冶鑄技術發生自本土的學者，其主要依據也有四條：首先是中國古代銅器冶鑄技術往往是與製陶技術緊密聯繫在一起的，“陶冶”一詞就清楚地表述了這一點，中國新石器時代中晚期陶器的燒成温度已經達到冶銅所需的温度，這是冶銅術得以發生的技術條件；其次是中國銅器的成型工藝、紋飾工藝和銘文工藝都與陶製模型密不可分，具有“陶鑄”的特點，有自己不同于中北亞的獨特工藝傳統；其三是中國從仰韶文化的時代就出現了黄銅，龍山文化時代則紅銅、青銅、黄銅器都有發現，這些銅器既有鍛打成型的，也有鑄造成型的，這些材質和成型工藝的多樣爲銅器冶鑄技術不同傳統的形成提供了可能；其四是中國的史前文化在公元前第三千紀以來，其文化傳播方向主要呈現從中心地區向周邊擴散（如彩陶的擴散），外來文化和技術對中國中心地區影響不早于公元前第二千紀初，而在這之前的黄河流域及其鄰近相當廣闊的地區都有銅器存在，冶銅技術發生的年代與外來技術傳播的年代不符③。中國冶銅技術本土説論者所提出的這些證據，也具有相當的説服力，目前也還難以推翻。

以上兩種觀點，究竟孰是孰非，就目前的考古材料來説，還難以做出確切的判斷。不過，綜合現有材料和諸家論述來看，中國的銅器冶鑄技術的發生可能不是單一的，其技術起源和工藝發展的狀況，遠比簡單的外來説和本土説要複雜。

我們説中國銅器的技術起源和工藝發展不單一，這是綜合考慮到早期銅器的分布狀況、材質工藝、造型種類和藝術風格得出的一個推斷。

大約在距今5000年前後，在中國西部的渭水流域，就出現了包括青銅在内的銅合金。1973年，在陝西西安市臨潼區姜寨遺址的發掘中，出土了兩片仰韶文化早期半坡類型的殘銅片，銅片呈半圓形，經分析檢測，係含銅65%、鋅25%的雜質較多的黄銅，年代約在距今6500年前後④。1977年，在甘肅東鄉縣林家馬家窑文化遺址中出土了一柄殘銅刀，經鑒定爲青銅鑄成，其年代在公元前3000年前後⑤。仰韶時代的銅器數量還很少，但這個星星之火迸發在靠近黄河上游的區域，從一個側面説明，早期銅器冶鑄技術的發生是在中國的中部偏西，與歷史上的所謂“半月形文化傳播帶”中央拐彎處接近，不能排除銅器的冶鑄技術是通過這個文化傳播帶傳來的可能性。不過，已經發現的仰韶時代的銅器實在太少，難以説明這些銅器是偶然機會的産物，還是技術革命後的産品。這兩處仰韶時代的銅器，其一爲相當奇异的黄銅，其一是比較進步的錫青銅，而在以後的龍山時代，銅器的主要材質還是純銅即紅銅，青銅器數量極少，這個現象與銅器冶鑄技術發展的路綫相背離。仰韶文化銅器中的姜寨黄銅器，是世界上目前發現的最早的黄銅器，超越了那個時代的金屬冶煉技術水平。冶金史專家已就當時的人們冶煉出黄銅的技術途徑進行了探討，他們指出，當地銅鋅共生礦的存在以及偶發因素，是這兩塊黄銅片産生的可能背景⑥。换句話説，就是姜寨遺址的仰韶文化的黄銅器不是外來的，在中國腹地存在着誘發獨立冶銅工藝的可能性。不過，仰韶文化的姜寨黄銅片是本地製造，這并不表明馬家窑文化的林家青銅刀也是本地鑄造，後者的地理位置偏西，所屬文化又具有强烈的輻射性，目前還不能排除林家青銅刀是舶來品的可能性。

龍山時代的銅器已經有了一定的數量，儘管早期的銅器非常珍貴，一般很難丢弃或作爲隨葬品埋葬，但目前已經發現的龍山時代銅器還是有十件以上⑦，説明當時銅器已經不再是某個地區某些人們的偶然獲取物，而是被許多地區許多人們共同看重的一種新材料⑧。龍山時代的銅器發現地點散布在整個黄河流域和山東沿海地區，這些銅器質料儘管有紅銅、青銅、黄銅多種，但黄銅器衹有山東膠州市三里河遺址的黄銅錐一例，它與先前的姜寨黄銅片一樣，屬于使用當地銅鋅共生礦冶煉的偶然産物，青銅器也衹有龍山時代偏晚階段的蔣家坪銅刀和河南登封市王城崗銅容器殘片兩例，後者有的學者還認爲存在着埋藏上的問題，其餘銅器均爲紅銅器，其占比高達80%，是這個時代最基本的銅器材質。如果不考慮偶然得到的三里河黄銅錐，并將可能存在年代疑問的王城崗青銅器殘件也暫且不予考慮，龍山時代的銅器除了蔣家坪青銅刀外，其餘銅器就都是紅銅製造的。仰韶時代和龍山時代的兩件青銅刀都出土在中國西部的甘青地區，而中國中東部地區的龍山時代銅器都是紅銅器，這個現象似乎向我們暗示了兩個問題：一是甘青地區缺乏從自然紅銅向青銅合金的演進過程，其青銅合金的冶煉技術甚至有的青銅器都有可能是來自西方；二是中國中心地區龍山時代的銅器基本使用紅銅，這符合冶銅技術的發展規律，其銅器冶鑄技術可能是自身發展起來的。這是從銅器質料信息得到的推論。如果再結合製造工藝和銅器形態的信息，我們還可以强化和補充這一推論。龍山時代銅器的製造工藝還比較原始，鍛打法占很大的比例，鑄造法才剛剛起步，不過，中心地區這時期的鑄造成形的銅器，也就是山西襄汾縣陶寺遺址墓葬中出土的紅銅鈴，却已經采用了以後塊範法的鑄造工藝，合瓦形的樂器造型也一直爲以後的打擊銅樂器所繼承。陶寺銅鈴屬于龍山時代偏早階段之物，這時期紅銅器工藝和形態就與出現了以後中心地區銅器的固有傳統，反映了中國本土的銅器，無論在冶鑄工藝上還是器物形態上都有自身完整的演變過程。中國銅器冶鑄技術完全可能是西部地區外來而中心地區獨立起源。

中國中心地區在距今5000年以前就開始了獲取銅器的點滴嘗試，在距今4500年以後就出現了獨立發生的銅器冶鑄技術。不過，銅器冶鑄技術的出現并不完全等同于青銅藝術的出現，在銅器冶鑄技術剛剛發生，銅器剛剛開始使用及其其後的相當長一段時間裏，由于技術和工藝水平的限制，銅主要被用作工具等實用器具，還缺乏刻意創造的藝術品或具有藝術性的工藝品。中國銅器儘管在龍山時代或更早的仰韶時代就已經出現，但銅器藝術的出現却是在龍山時代以後的夏代[9]，更確切地説是夏代晚期，也就是距今3800–3500年之間。

夏代中國的銅器冶鑄業開始發生了巨大的變化，這種變化首先反映在青銅器的普遍使用上。在史前的龍山時代，人們可能已經開始了在熔銅時添加其他金屬的嘗試，但由于缺少高錫和高鉛的銅器，當時人們是否有意識地添加這些金屬，還不能確認。到了夏代，尤其是夏代後期，高錫和高鉛的青銅器數量已經很多，并且在這一時期的河南偃師市二里頭遺址還出土了錫塊和鉛塊[10]，當時的人們肯定已經有意識地在銅中添加錫和鉛了。河南偃師市二里頭文化已經進行過成分檢測的銅器共四十六件，其中紅銅器衹有六件，其餘全爲青銅器。青銅器既有錫青銅、鉛青銅這些二元銅合金，也有錫鉛青銅這樣的三元銅合金，後一類的數量已經接近于前兩類的總和。在這些青銅器中，儘管高鉛的青銅器是高錫的青銅器的三倍，但所有高錫的青銅器都是工具，顯然夏代二里頭文化的人們已經知道製作帶鋒刃的青銅器要加入較多錫這個道理[11]。傳爲西漢袁康所著的《越絶書》（卷十一）説夏代以前用玉、石製造兵器，“禹之時，以銅爲兵”。紅銅較軟，不適應製造武器，用來製造武器的銅材應當是硬度較高的青銅。傳爲夏代的開國君王夏禹用青銅製造武器，這是古人對于夏代技術成就認識的反映。正是由于夏代出現的銅合金冶鑄技術的突破，使得青銅器取代紅銅器已成爲一種時代趨勢，銅器迅速在中國廣大地區得到使用。除了在中心地區外，東至遼東半島南端的錦州市大嘴子遺址，西至世界屋脊西藏的拉薩市曲貢遺址，都有青銅器的出土[12]。

銅器技術的發展，使得鑄造比較複雜的銅器作品成爲可能。從夏代晚期開始，製作比較精工的青銅器已不罕見，銅器的造型已經不僅是滿足器物直接功能上的需要，還具有了精神上的象徵意義。當銅器從簡單的使用功能上升到精神功能的時候，銅器藝術也就隨着産生。在中國的中心地區和甘青地區，同時出現了兩個銅器集中出土的區域，這説明在夏代晚期前後，已經形成了兩個銅器工業的中心，開啓了中國銅器藝術兩個主要系統的源頭。

位于黃河中游的中心地區，相當于傳説中夏代的二里頭文化是分布範圍大致在河南中西部和山西南部的考古學文化，其年代大致在公元前1800–前1500年之間。該文化銅器除了集中發現于中心遺址河南偃師市二里頭遺址外，在河南洛陽市東干溝[13]、新密市新砦[14]、駐馬店市楊莊[15]、登封市王城崗[16]和山西夏縣東下馮遺址[17]也都有個别發現。這一地區的人們除了繼承先前的工藝鑄造實體的銅工具、銅武器和銅鈴這類器物外，還創造出了使用三塊外範、上下芯範等複雜鑄型鑄造造型更複雜的器物。這時期的銅器造型不僅爲了滿足加熱或盛裝食物的直接用途，也不單單用銅合金來模仿先前已有的陶器或木器的造型，還從某些特定動物造型中選取具有特點的要素加以抽象，進而創造出複雜造型和鮮明象徵意義的新形制，這種造型手法成爲了這一時期銅器藝術的流行趨勢。這時期二里頭文化的銅容器，已經發現的種類不過鼎、爵、斝、盉等數種，這幾種都與動物的抽象造型有一定的關係。銅鼎在二里頭文化中衹發現了一件，且没有容易觀察其造型淵源的方鼎，對鼎造型的象徵意義這裏暫且不談。其餘的銅爵、銅斝、銅盉這三類酒器，顯然都與鳥雀的抽象造型有關。例如銅爵，其造型作“前若喙，後若尾，足修而鋭，形若戈然，兩柱爲耳”之狀[18]，宋代的學者就認爲它與抽象的鳥雀頗爲相似，故被稱之爲爵。銅斝的形態與爵相似而稍大，但無爵的流和尾。早期銅盉的形態更像一隻鳥或鷄，以至于有的學者要用古代禮書上的名稱稱之爲“鷄彝”。將銅容器做成比較難以鑄造的鳥雀之形，顯然不僅是爲了盛酒的需要，而是别有寓意的抽象了的藝術創造。這種藝術創造，正是中國古代主流銅器藝術的傳統，這種傳統在夏代的中心地區就已經形成。除銅容器外，二里頭文化還創造出了嵌貼緑松石圖案的複合銅器，這類銅器發現最多的就是嵌貼緑松石銅飾牌圖案[19]。銅飾牌是當時社會的上層貴族用帶子繫在胸前或腰間的裝飾品，它用銅鑄成飾牌基本形體和紋樣框架，表面再用漂亮的緑松石按紋樣框架拼貼或鑲嵌成龍蛇一類動物頭面的圖案。這種飾牌裝飾艷麗，構圖具有別致的透視效果，花紋講究對稱形式美，反映了夏代銅器工藝所達到的水平。然而值得注意的是，夏代中心地區的銅器冶鑄技術儘管領先于周圍地區，但這種領先是在當時王權壟斷的背景下形成的，當時能够製造銅器的工匠基本上被集中到王都之中，當時的銅和錫等原料也都被王家所控制。工匠被集中在一起，這有利于技術和藝術的交流和進步，從而使得王家作坊能够鑄造出非常複雜的器物；但王家對技術和藝術的控制，却限制了這種技術和藝術的傳布和推廣，使得銅器的生產和消費被集中在一個很小的社群中。二里頭文化的銅器基本上衹發現于可能是夏朝最後的都城偃師市二里頭遺址，在其他二里頭文化遺址中不見或罕見銅器，就是這種現象的反映。

與中心地區的二里頭文化大致同時，在西北的甘青一帶則有齊家文化和四壩文化。齊家文化是分布于甘肅東部及青海湟水流域的以甘肅廣河縣齊家坪遺址爲代表的考古學文化，該文化的年代大約在公元前2200－前1800年之間。該文化的銅器紅銅與青銅、鍛打與鑄造并存，帶有濃烈的早期銅器色彩。其銅器種類有小刀、錐子、耳環、圓泡等簡單的小件工具和飾品，也有帶耳斧、人首匕、帶鈕鏡等具有北方系銅器的普遍風格[20]。銅器中以人首爲器柄裝飾的做法可能開中國北方系兵器和工具風格的先河，帶鈕銅鏡也應該是該文化的發明，銅鏡背面的多種光芒狀花紋是最早的銅器紋樣。這些都對以後大北方地區銅器有着强烈的影響。四壩文化或名火燒溝類型文化，它是夏代及商代初期分布于甘肅河西走廊的、以甘肅山丹縣四壩灘遺址命名的考古學文化，年代大約在公元前2000－前1500之間。四壩文化是同時期文化中銅器數量最多、分布最廣、使用最普及的一個文化。四壩文化銅器的材質有紅銅、砷銅、錫青銅、錫鉛青銅、錫砷鉛青銅多種，製作方法熱鍛和鑄造并存，銅器種類除了有實心的小刀、箭鏃、耳環、圓泡等工具和飾件外，也有空腔的銅矛、錛、杖首等比較複雜的銅器[21]。在甘肅玉門市火燒溝四壩文化墓地中出土了一件青銅鑄造的四羊頭權杖首，其形狀大小似梨狀，下端有銎可裝柄，四周對稱設置四個羊頭作裝飾。這四個羊頭係先分鑄，然後嵌鑄在杖首上。這是中國目前發現的最早的嵌鑄鑄件，它的發現説明夏代的西北地區，也出現了值得稱道的銅器藝術，并且其鑄造工藝和表現形式與中原地區已經有所區别，具有了以後北方系銅器的共同特色。應當注意的是，甘青地區與中心地區的銅器生産方式存在着明顯的不同。甘青地區夏代前後的遺址和墓地中，基本上都會有銅器的出土，尤其是四壩文化墓地，許多墓葬都會出土銅器，但每座墓葬的隨葬銅器數量也不多。這種銅器的廣泛分散的情况，與中心地區銅器的高度集中的情况形成了鮮明的對比。説明在甘青地區，銅器生産方式與後來大北方地區有着某種一致性，即銅器鑄造工藝被許多分散的工匠所掌握，他們流動服務于廣大的北方原野中，從而使得大北方形成了相對統一的藝術傳統，一個區域的風格變化往往會迅速影響到整個北方草原和荒漠地區。

夏代的中心地區與後來一樣，其銅器以具有禮儀意義的銅容器爲主體，銅器藝術的表現形式主要爲抽象的或象徵的，就是動物造型的器物或動物紋樣，往往也都經過概念化和程式化的變形，使得這些動物帶上了某種神秘的理念，使得人們難以確認。這些恰是中國青銅時代藝術所獨有的傳統和最具代表性的特徵。與之同時的西北地區的銅器，已經具有後來整個大北方地區銅器共有的特色，如器物種類以小件工具和飾件居多，缺乏大型禮器，器物造型（尤其是動物造型）趨于寫實而不抽象，這與中央銅器藝術迥然异趣，却與以後北至南西伯利亞、南至長城沿綫的銅器藝術的風格基本一致。因此，中國銅器藝術應當出現于夏代的中心地區和甘青地區，二者具有各自獨立的技術基礎和藝術傳統，已經形成了各具特色的藝術風格，這些傳統和風格分别構成了中國青銅時代始終占最主要地位的中原系藝術和北方系藝術的源頭。中國銅器在夏代形成了中心地區和西北地區兩個銅器生産的中心，形成了後來中原系和北方系兩個不同的銅器藝術傳統，這反過來證明，中國銅器、製銅技術和銅器藝術的起源不是單一的，而是二元的甚至是多元的。

夏代以後，中心地區的銅器生産規模更大，銅器工藝迅速提高，逐漸成爲影響整個中國銅器藝術和其他藝術的主流藝術。而甘青地區這個一度的銅器生産中心却一蹶不振，逐漸沉寂下去。從此以後，中心地區銅器藝術就幾乎成爲中國銅器藝術的代表了。

二、中國銅器藝術的特點

在中國古代的工藝美術中，銅器藝術的材料獲取有限，技術難度最大，工藝相對複雜，使得銅器從産生開始就成爲貴重的物品，成爲人們追求占有的對象。銅器在當時人們的社會生活中占據着重要地位。祭祀祖先神和其他神靈的祭器是用青銅鑄造，宴請賓朋的飲食器具的質料多爲青銅，打仗的兵器更是青銅的世界。銅器的狀况不僅集中代表了當時技術發展的最高水平，在某種程度上表示着統治階級權利和地位，而且在相當長一段時間内還代表了當時藝術思潮和藝術風格。

銅器在古代社會之所以珍貴，首先在于製造銅器的礦藏資源不同于通常的生活資料，它是一種分布範圍極不均衡、開采利用相對困難的生產資料。古人可以利用的礦產資源往往不在適合農業或畜牧業生產的地區，它們多數散布在邊遠的山地和海濱。在缺乏有效運輸工具的古代，尤其是在馬車尚没有引進和廣泛利用的商代晚期以前，邊遠地區的礦料要運送到中心地區，除了路途遥遠和山高水長外，還要防範其他需要這些礦料的族群和國家的搶奪，其困難是可想而知的。因此當遠方的礦料歷盡艱辛進入中心地區以後，這些礦料就變得十分貴重，成爲當時統治階級争相擁有的對象，成爲財富的重要組成部份。銅與錫、鉛都是冶鑄青銅器所需要的原料，其中銅的需要量最大。中國的銅礦分布很廣，最主要的銅礦帶至少有四個，即晋南中條山區、長江中下游南側地區、西南的川滇地區、甘肅的河西走廊西側地區[22]。在這幾個銅礦帶中，晋南中條山區位于中國早期中央王朝的中心區内或中心區旁，又有一些地表淺層氧化銅礦，易于開采冶煉和易于將冶煉所獲的銅料運送到中心城邑，應當是最早被中原地區人們利用的銅礦區。考古學家在山西垣曲縣西的大含溝曾發現古代的煉銅遺迹和二里頭文化至二里崗文化時期的陶器殘片，有可能這裏就是當時開采銅礦和煉銅的地點之一[23]。川滇高原銅礦帶主要在四川西南部和雲南東部，這裏山高水急，瘴氣籠罩，中央王朝的統治區域延伸至這一帶是在西漢中期。不過，雲南自然銅相當豐富，歷史上曾經發現過重達一噸的大銅塊，本世紀初還新發現有規模很大的自然銅礦。漢代以前附近乃至于中原地區的人們有没有可能利用這些自然銅，也是一個饒有趣味的問題。人們獲取銅礦資源的動機是多方面的，距離的遠近祇是其中一個，此外還有開采方便與否、礦石含銅量的高低、冶煉難度的高低等多種原因。地球上的大多數銅礦，其埋藏形式都是表層爲自然銅和比較容易冶煉的氧化銅礦，深層是比較難于冶煉的硫化銅礦。早期中國的銅料來源除了取自最近的中條山區和較近的長江中下游地區外，在近處的自然銅已被取盡，容易獲取的氧化銅礦也日益减少的情况下，從較遠的地區去尋找新的自然銅和開采氧化銅礦，也是完全可能的。錫和鉛是中國早期青銅器提高硬度和工藝性能的重要原料，中國錫和鉛的儲量都很豐富，但這兩種礦的分布狀况却有很大的不同。錫礦的分布很集中，基本上都在中國南方的南嶺和苗嶺兩側，以及西南的雲南一帶和北方的内蒙古東部，距離中原最近的有規模的錫礦是江西德安縣曾家壠錫礦[24]。中國中央王朝的統治區域還局限在黄河流域時，這個王朝的統治區域無疑是一個缺乏錫的區域。鉛的分布很廣，在二十七個省區市都有鉛礦發現，其中儲量最豐富的省區依次是雲南、内蒙古、甘肅、廣東、湖南和廣西，在中原及其附近地區也有像河南靈寶縣東闖金鉛礦、山東福山縣王家山銅鉛鋅礦、河北豐寧縣營房銀鉛鋅礦等儲量較大的礦藏，中原地區的人們完全可以就近獲取這些鉛礦資源。由于夏代以後歷代王朝銅器工業的規模很大，高錫青銅或錫鉛又占很高的比例，錫的需要量很大，這麼多的錫料如果都來自遥遠的南方或北方，這就涉及到這些早期中央王朝影響力的範圍和遠距離運輸的問題。根據屬于商代前期的鄭州商城兩個銅器窖藏、黄陂盤龍城墓葬，以及屬于商代後期的殷墟婦好墓、殷墟西區墓地部分銅器的成分測定結果，可以看出商文化王室銅器與非王室銅器合金成分有明顯的區别：王室銅器以錫青銅爲主，錫鉛青銅也以錫的比重最大；而一般貴族則多用鉛代錫，銅器多鉛青銅或含鉛量較大的鉛錫青銅。這應當與商王朝統治區域遠離錫礦資源地、錫料貴重有關。這時期的鑄銅工匠已意識到錫在加强銅器硬度中的作用，故鑄造實用兵器時往往衹加錫而不加鉛。

銅器在古代社會相對貴重的另一個原因是技術複雜。銅器是多種技術和多種工藝的結晶，製作銅器既要改變原材料的物理性質，同時也要改變其化學成分，其製造遠比陶瓷器、玉石器、漆木器等複雜。青銅器的鑄造需要從銅礦、錫礦和鉛礦開采所需的礦石，再將這些礦石分别冶煉成銅、錫、鉛等原料，然後將這些金屬原料運輸到需要鑄造青銅器的城邑，并在這些城邑的鑄銅作坊中經過製造模型、熔煉合金、澆鑄成形和鑄後加工等多道工序，才能製成所需的青銅器。産生于中國中心地區的最爲傳統和使用最普遍的銅器鑄造工藝是範鑄法，範鑄法的基本工藝流程是：先根據使用者的意圖設計構思并創作出需要鑄造青銅器的原大模型，并在模型上刻鏤和雕塑出花紋（也可以用現成的器物來作模型）。模型製好後用經過選擇的泥土貼塑和包裹在模型外，翻印出模型的外部形態和紋飾，并在恰當的位置設計預留下今後用于澆鑄銅合金液體的“澆口”和排氣的“冒口”。待包裹在模型外的泥土稍乾後根據器物的形態將包裹在模型外的泥土分塊切割分離，切割時要在切縫兩側預先留若干卯榫，以便以後拼合。切割下來的泥範經過陰乾和烘烤製成陶範，將這些陶範按分割前的原樣組合起來，在範内填充泥砂，使之恢復模型的原狀，然後削去相當于器壁厚度的薄薄一層，就製成内範即泥芯。將外範套合在内範上，内外範之間的空隙用墊片支撑以保證所要鑄造的器物器壁厚度均匀。最後從澆口澆注銅合金溶液填滿範與芯之間的空隙，剥離陶範露出鑄件，并加以打磨修整使之成爲外表光亮黝緑的銅器[25]。另一種銅器鑄造工藝是失蠟法，亦即現代鑄造工業尚用來鑄造精密鑄件的熔模鑄造方法。失蠟法的基本工藝流程是：先用砂性粘土按照所要鑄造器物的大致模樣製成略小的泥芯，再在其外用蜂蠟、松香等合成的材料按照需要鑄造器物的樣子製成蠟模，蠟模外用細泥沙漿澆淋多次并裹以耐火泥沙成鑄型，鑄型也要預留流出臘液和澆注銅液的澆口和排出氣體的冒口，然後烘烤鑄型使蠟模融化流出，再澆注銅液在蠟流出後所形成的空腔中，剥離外型就可以得到所需銅器。使用失蠟法鑄造的銅器，器表没有範鑄法不可避免的鑄縫、焊縫和鑄接痕迹，一些具有鏤空透雕效果、立體雕塑效果和細密繁複紋飾的銅器，用這種方法可以比較容易地鑄造出來。由于種種原因，相對簡便實用的失蠟法在中國出現得較晚，它在春秋時期才從西方或北方傳到中原地區。由于那時的範鑄法在中國已經有上千年的運用歷史，夏商周古代社會的銅器作坊又是實行父子相承的“世工”制度，複雜的範鑄法在這些銅器作坊的工匠手中早已經擺弄得得心應手，很複雜造型和紋飾的器物也能够用傳統的方法給鑄造出來。因而那時的工匠對新傳入的失蠟法普遍持抵觸態度，在東周乃至秦漢時期一直都是將其作爲傳統範鑄法的補充[26]。不過，無論是範鑄法還是失蠟法，銅器的鑄造，尤其是銅工藝品的創造，都不是一般農村村社或普通家庭所能從事的手工業，它不僅需要專門的技能和藝術修養，而且需要長期的實踐經驗和較多工匠的協作。工藝的複雜程度是其他工藝門類所難以比擬的。

由于製造銅器這一系列的複雜性，再加上中國中原地區在相當長的一段時期内，銅器生産采用的是高度集中的生産方式，使得中國銅器藝術具有穩固的傳統，形成了自身鮮明的特點。考慮到中國銅器藝術最輝煌成就主要集中在青銅時代，考慮到銅器發展在三國與兩晋之間發生了很大的變化，考慮到中國地理範圍遼闊而銅器系統多樣等因素，如果以夏商周時期中原系銅器藝術作爲中國銅器藝術的典型代表，并考慮到同時期其他地區和以後銅器藝術的情况，我們可以把中國銅器藝術的特點歸結爲以下幾個方面：

首先，高度發達的銅器工業和紛繁多樣的銅器藝術形式。在世界諸古代文明中，中國的銅器冶鑄工藝發生并不早，但由于自然環境和觀念意識方面的原因，中國青銅時代不僅銅器使用範圍廣大，鑄造數量驚人，而且銅器種類豐富，區域特徵也十分鮮明。就銅器數量來説，已經發現的中國銅器數以萬計，新青銅器還在不斷出土。埋藏于地下墓葬和窖穴中能够保存至今的銅器衹是昔日生産銅器的很少一部分，許多銅器都在歷代戰火中被毁壞，更多的被熔化改鑄爲武器、錢幣或銅像。正如德國學者雷德侯（Lothar Ledderose）所説：“古代中國比任何其他足以相提并論的文明社會製造的青銅器都要多。”[27]由于銅器工業高度發達，銅器又被賦予了權力的象徵意義，中國先秦時期的權貴們對銅器數量和體量的追求十分痴迷。在商代晚期國都殷墟發現過一座被盗的墓葬（M260），墓葬衹有一條墓道，規模僅相當于當時貴族大墓的第三等，據説重達847千克的司母戊大方鼎就出自這座墓葬[28]。在没有被盗擾的楚國附庸小國國君曾侯乙的墓葬中，出土了銅禮器有一百一十七件、銅編鐘六十五件、銅兵器四千七百餘件，銅器的數量達到了十分驚人的地步，僅一套銅編鐘的重量就達到了2500千克㉙。漢代以後，銅禮器、樂器和兵器的鑄造量雖然大大下降，但銅錢幣、銅鏡和銅神像一直在大量鑄造，銅器工業規模仍然相當可觀。

其二，以中原銅器藝術爲主體的銅器藝術體系。中國銅器藝術從夏代開始在中原地區和甘青地區出現，并形成了各自的藝術風格。但從商代起，甘青地區的銅器冶鑄業就停滯不前，很快落在了中原地區的後頭。由于中央王朝强大的政治、經濟和軍事實力，中原先進的銅器冶鑄技術和藝術風格，伴隨着中央王朝的擴張和移民，影響到遥遠的周邊地區，成爲周圍古國古族效法的對象。中國銅器工藝總的説來，始終是中原地區居于中心和領先的地位，許多新的技術和藝術風格都是最先在中原地區出現，然後才流傳到周邊地區。中原銅器無論在器物種類和器體造型上，還是在器表裝飾和花紋上都往往開新風尚的先河。中原銅器藝術風格的轉變往往很快帶動周圍其他地區銅器藝術風格隨之轉變，而當中原地區與周邊地區因某些原因聯繫减弱或中斷的時候，這些非中原地區的銅器藝術往往因得不到中原銅器藝術發展的新信息，銅器藝術陷于停滯或在先前傳入的中原銅器藝術風格的基礎上緩慢發展。這種現象在中國南方銅器藝術上體現得尤其明顯。當然，隨着時間的推移，中國的南方和北方地區後來都逐漸形成了自己的銅器特色和藝術風格，有的銅器種類和造型也曾傳播影響至中原地區，但就藝術形式來説，中原地區受周邊銅器文化的影響是相對很小的。中原銅器藝術在某種意義上成爲中國銅器藝術的代名詞。

其三，中國銅器藝術形式的相對穩定和延續時間的綿長。中國銅器藝術從它形成起，它的文化特徵和獨特的藝術表現手法就一直爲後代所繼承，銅器藝術的區域差异也始終比較穩定。在中原地區，銅器造型和紋飾構圖以可以溝通人神的幾種動物紋爲主體，表現形式一般采用抽象、誇張的手法，將現實中的動物神秘化和程式化，以至于後人難以明瞭這些動物造型和紋樣本身所指，于是三代銅器造型中的“鑄鼎象物”和“夏后氏以鷄彝”㉚等記載後人多莫曉所謂，銅器裝飾也出現了“饕餮”、“夔龍”、“鳳鳥”、“螭虺”、“竊曲”、“肥遺”等種種奇怪的帶有神話色彩的名稱㉛。這些造型和紋飾一旦出現就經久不衰，長期被模仿和沿用。例如鼎在夏代就已出現，以後的商、周兩代，鼎的使用數量和局部形態雖然一直在不斷地發生變化，但其中心禮器的地位和基本形態却長期保持穩定；又如銅器紋飾中的夔龍紋，它至遲在商代就已出現，以後它雖説被抽象、簡化和細化，春秋時期成爲近似幾何圖案的蟠螭紋、蟠虺紋乃至于散虺紋，但這種具有中原特色的傳統紋樣直到漢代也還是紋飾的主題之一。北方地區更是如此，當北方系銅器的風格形成以後，除了銅器種類長期固定在短劍、軍斧、刀削和飾件等幾種上外，在銅器上鑄出羊、鹿等寫實的立體動物形象一直是這一地區喜歡采用的手法，并且這種傳統還通過環繞中原的半月形文化傳播帶傳布到西南的雲貴高原地區。至于南方地區，這裏的所謂“文化滯後”現象主要就表現在青銅器上。四川盆地的銅罍、三角援的銅戈等器類，長江中下游吴越及百越地區銅尊、提梁壺（卣）等銅器的造型和紋飾，其延續時間之長久，更遠遠超過了中原地區。

其四，以範鑄法爲主而失蠟法爲輔的銅器成形工藝。範鑄法在中國至遲在公元前3000年左右就已經產生，甘肅東鄉縣林家馬家窑文化遺址出土的青銅刀，就是用兩塊範合範後澆鑄的。從那以後，這種鑄造銅器的方法就成爲中國青銅器鑄造的基本方法和使用最爲廣泛的方法，無論中原地區還是周圍邊區，都始終以範鑄法爲主，衹是南北方有的地區在部分鑄型中用石範代替了泥範或陶範。範的組合方式主要有單面範、雙面範、複合範，爲了能鑄造出造型和裝飾複雜的銅器，還采用了嵌範。多種多樣的組合範，再加上鑄造方法的多樣化——主體和附件一次澆鑄成形的渾鑄法，主體和附件分别澆鑄，然後鑄接成形的分鑄法（這種方法又分附件先鑄和附件後鑄兩種），主體和附件分别澆鑄，然後將二者焊接在一起的焊接法——并且輔之以鑲嵌玉石、金銀錯、鎏金和漆繪等工藝，使得範鑄法在中國得到高度的發展。失蠟法在中國產生較晚，目前所知的年代最早的采用失蠟法鑄造的銅器，一是現藏美國紐約大都會博物館的楚王酓審銅盞盂，二是河南淅川縣下寺楚墓出土的帶足銅禁、銅薦鬲等。前者爲楚共王自作用器，其年代在春秋中期偏晚階段；後者爲見諸文獻的楚國貴族鄬子倗墓所出，年代也在春秋中期偏晚或春秋中晚期之際[32]。用失蠟法鑄造銅器比範鑄法要簡便得多，從理論上講，該方法可以鑄造出任何形態的器形和極其複雜的花紋。但由于中國的世工制度，工匠世代使用範鑄法，這種相對笨拙的鑄造方法在他們手中已被使用得非常熟練，達到了爐火純青的地步，使用這種方法能够鑄造出形狀和紋飾都極其複雜的器物。所以比較先進的失蠟法在中國出現以後，這種新的鑄造工藝在相當長的一段時間内也未得到普遍的使用，它僅被作爲傳統的範鑄法的補充。直到兩晋以後，隨着佛家造像的流行，失蠟法的使用才逐漸普遍起來。

第五，特定銅器種類的權力象徵意義。從中國第一個古代王朝夏代起，中央王室就將銅器中的一些器物種類看作是中央王朝權威的象徵，如《墨子・耕柱篇》説：“昔者夏后開使蜚廉折金于山川，而陶鑄于昆吾。……九鼎既成，遷于三國。夏后氏失之，殷人受之；殷人失之，周人受之。”這就是著名的九鼎的傳説。在這個傳説中，九件夏王朝開國國王夏啓（開是漢人爲避漢景帝諱所改）鑄造的銅鼎被視爲國家權力的象徵，先後被夏、商、周王朝的君王供奉在宗廟中。先秦銅器中另一種最爲重要的器類是兵器中的鉞。鉞形狀似斧但較寬扁，寬刃弧邊，一般都有刃邊鋒，鉞身後有長方形的“内”（讀作“納”），以穿孔和繩索將銅鉞與木柄相連。鉞起源于新石器時代的闊刃大石斧，但至遲在商代，銅鉞中的大型鉞就不再是單純的兵器，而成爲一種擁有政治和軍事大權的標志。有的研究者已經指出，殷墟甲骨文和金文中的“王”字的字形就是象大斧鉞，以斧鉞來作爲軍事統帥權即王權的象徵[33]。所以，當某臣下或某方國被中央王朝賜以斧鉞以後，實際上就成爲某一區域中央王權的代理人，擁有征伐這一區域其它族方國和部族的權力。《史記·周本記》記載的商王紂賜給周人之祖西伯（文王）“弓矢斧鉞，使西伯得征伐”的故事，就形象地反映了這一現象。此外，先秦各王朝各自還有一些表明自己不同于其它王朝的特殊的銅器種類，如《禮記·明堂位》記三代及傳説中的有虞氏盛裝食物禮器的差异時説：“有虞氏之兩敦，夏后氏之四璉，殷之六瑚，周之八簋。”這些晚周的記載是否符合當時禮器的實際情況，我們已經不很清楚，有的禮器的名稱究竟指什麼樣子的青銅器，後人也不是很清楚，不過當時的人們已經知道三代各自擁有不同的銅禮器，并且這些銅禮器屬于造型不同或裝飾有别的器物種類，却是可以肯定的。三代王朝的君王如此看青銅器政治含義，其它各級貴族也紛紛效仿，因而銅器在相當大的程度上又成爲區分各級貴族的一種重要的標志物。這種標志物的使用在當時祭祀、宴享和交往活動中形成了比較嚴格的等級規範，以區分上下級貴族界綫，防止僭越等危害統治階級内部平衡的現象發生，從而銅器中的多數容器成爲反映先秦貴族等級制度的儀式化的行爲規範“禮”的組成部分。《左傳·宣公十二年》記晋國的大夫隨武子論禮制説：“君子小人，物有服章，貴有常尊，賤有等威，禮不逆矣。”并且在周人的禮書《禮記》中，也專門有《禮器》一章。從考古材料來看，商文化中銅觚和銅爵的數量配合，周文化中的銅鼎和銅簋的數量搭配，都非常顯著地帶有等級的限定[34]。因此，中國銅器藝術是帶有濃厚的政治色彩的、集中反映了統治階級等級觀念和權力觀念的一門藝術。

以上五個方面構成了中國銅器藝術的獨特傳統，也成爲中國銅器藝術最具自身色彩的因素。

三、中國銅器藝術的類型

中國先秦時期的銅器基本上是爲不同目的鑄造的功用不同的銅器具，很少産生專門紀念性質的大型銅造像類作品，尤其缺乏大型的人物銅造像（包括人物造型的銅神像）。我們説不製作或很少製作人物形象是中國上古藝術的傳統，這并不等于説中國在西方佛教藝術傳入之前就没有人物造型的像設。在中國西南的四川盆地，從公元前1800年出現的三星堆文化起，就出現了人鳥合一的神造像、人物造像以及罕見的植物造像[35]，到了三星堆文化晚期，隨着青銅鑄造工藝的發展，更鑄造了一些大型的青銅人像和神像，并給一些木質的雕像施加了青銅的頭像或面像。這些没有附加其他實用功能的像生類銅像設是四川盆地的古代文化所獨有，其他地區某個時期是否也曾有過這類銅像設，還不能完全肯定或否定。到了秦漢以後，隨着西方藝術的東漸，尤其是佛教藝術的傳入，作爲人們供奉對象的銅像設開始流行，成爲銅器藝術的一大類型。因此，我們可以從像生物的視角將中國銅器藝術劃分爲兩類，一類是像生類銅像設，一類是幾何類銅器物，後者具有很强中國文化傳統，是中國銅器藝術的主流，并從上古一直影響到近代。

（一）銅像設

銅像設是指基于某種宗教信仰或爲了某種精神需要而製作的以銅爲主要材質的作品，這種作品本身在日常生產生活中没有具體實用功能，作品所塑造的人或動物都是獨立存在的立體銅造像，而不依附于其他銅器物。它不包括那些外形爲人或動物造型，但内部却爲有容納物品空腔的鳥獸形器一類銅容器，也不包括用作銅器上附屬的圓雕狀或高浮雕狀的裝飾。人們仿照人物和動物形態鑄造這種作品，其目的是作爲祭祀和供奉的對象，紀念和緬懷的依托，守望和威儀的體現。這種銅像在夏代尚無發現，商、周兩代的銅像也發現不很多，其數量與大量存在的銅禮器不可同日而語。但銅像由于多是獨立的造型，它們不像銅禮器中的鳥獸形器的造型那樣受到了器物功用的限制，因而具有極高的藝術價值。

目前已經發現的先秦銅像設多分布于中國南方的長江流域，以三星堆文化的四川廣漢市三星堆遺址發現最多，種類最豐富，體態也最爲高大，其餘地方都是零散出土。在三星堆遺址的兩座器物坑中（有的學者認爲它們是祭祀坑），出土有各種銅像上百件，種類有人物形像（包括人形神像）、動物形像（包括虚幻動物）、植物形像和組合形像四類[36]。人物形銅像在青銅像設中比例最大，從其性質上來説既有巨大的尖耳凸目神面像，也有與真人大小相近的可能爲巫師的立像和頭像，還有少許小型普通人像；從其造型上來説，既有全身的立像和半身像，也有頭像、面像，此外還有大量眼睛和眼珠；從其安置方法來説，大銅立人銅像等自帶器座可以獨立安放，各式銅頭像則需安裝在其它材料的身軀上或插在木柱上，巨大的銅面像則很可能原是泥塑或木雕神像的一部分，至于那些銅眼睛和眼珠則或許是固定在神廟中墻壁上的具有某種特别意義的裝飾。動物形銅像數量在三星堆器物坑的青銅像設中數量也不少，種類有龍、蛇、鳥、虎的形像以及獸面像等。植物形銅像在三星堆中僅見巨大的銅神樹兩株和若干小的神樹，此外有不少人物銅像手中也持有銅製樹枝。組合形銅像衹見一座被有的研究者稱作“神壇”的大型青銅模型。該模型下面是兩隻巨大的鳥首獸身的怪獸，中層立有四個巫師，上層是一巨大的方尊形器，造型相當複雜。

三星堆器物坑的四類銅像設，基本函蓋了先秦銅像設的全部種類，其他地點出土的青銅像設都可以在這四類青銅像設中找到歸屬。河南安陽殷墟青銅人面具、陝西寶鷄漁國墓地銅立人像、城固青銅神面像、江西新干縣青銅雙面神像等，都可以歸入人物像類，其中後兩例更確切地説，應當屬于人形青銅神像的範疇。陝西西安市老牛坡、城固縣蘇村和北京房山琉璃河牛首銅面像、江西新干縣大洋洲雙尾銅虎、湖北隨州市曾侯乙墓銅鶴，以及中國北方青銅文化中大量存在的立體動物造型等都可以歸入動物像類，其中牛首銅面像應當是具有某種神性的動物。中國古代植物造型和紋樣都極不發達，除三星堆銅樹外，還未見其它以植物作爲銅像設的例子。組合形銅像設在西漢時期才發展到鼎盛階段的石寨山文化中極其發達，但在先秦銅器中，其數量也很少，祇有浙江紹興市坡塘306號墓出土的妓樂銅屋模型、河北易縣燕下都東貫城樓形銅飾件等不多的數例。

在爲數較多的銅人像中，比較難以分辨的是哪些是人形的神靈形象，哪些是不具有神性的純粹的人像，還有哪些是居于人、神之間的半人半神的溝通人神關係的超人的形象。關于這個問題，實際上這些銅人像的本身造型和細部刻劃已經有清楚的表現。三星堆的大量人形青銅像設，根據其耳朵、眼睛和附屬裝飾，可以將其劃分爲三類：第一類是眼睛玻璃體凸出于眼球之外，兩耳既大且尖，耳垂無帶耳環的穿孔的大型銅面像。這類銅像均爲斷面呈凹字形的面像，形象與真人有別，其中有一件還帶有一縷升起的雲氣，帶有某種神性和超人的色彩，其形體巨大，如果祇比較頭部的話，它們是所有銅像中最宏大者。由于這種造型的人面像與三星堆所謂“神壇”的人首鳥身像的頭部造型和耳眼特徵完全相同，它們應當表現的是虛幻的神而非真實的人。第二類人形銅像的造型和細部刻劃均與真實的人基本相同，但眼睛大且眼球中間有一道横向的棱綫，看不出任何表現眼睛玻璃體的迹象。這類銅像除了與第一類相仿的銅面像體量較大外，其餘基本與真人大小相當，既有立人銅像，也有數量衆多的銅頭像和少量銅面像。從三星堆銅像群中這類形象一般都是從事的事神或娱神的工作來看，他們應當是在人與神間起中介作用的巫師一類人物，而那些與第一類銅神像整體造型相似的銅人面像則有可能是古三星堆文化的創造者古蜀人之王死去祖先的形象。第三類人形銅像祇有一些或跪坐（跽）或半跪的小型銅人像，除一件露目露齒、形態可憎的跪坐銅像外，其它銅像的基本造型與第二類相同，但他們的眼睛或鑄出或用墨繪出，他們應當是普通的人的形象，其中那個面貌醜陋者還很可能不是古蜀人的造型。

在中原及其他地區流行的銅人像中，數量最多、流行範圍最廣的是衹鑄出臉部和耳朵的人面像。這種銅像也有兩類：第一類怒目圓睁，闊鼻張耳，呲牙裂嘴，形象猙獰可怖。屬于這類的人形銅面像在陝西城固縣蘇村、岐山縣賀家村、西安市老牛坡、北京房山區琉璃河等墓葬中都有發現。這種類型的人形銅面像與江西新干縣大洋洲雙面銅神像相比較，二者的基本特徵相同。大洋洲雙面銅神像頭生雙角，兩顆獠牙伸出嘴外，顯然不是人類而是神類。第二類是雙眼的眼角明顯，口中牙齒或露或不露，整個臉形與真實的人的臉形没有什麽差别。這種人面銅像發現較少，衹在河南安陽市殷墟、北京房山區琉璃河曾有出土。值得注意的是，在琉璃河燕侯克墓中，第一類人形銅面像與第二類人形銅面像同出，兩類銅面像的數量也相差不多（前者五件而後者四件），它們都是裝釘在漆盾之上以嚇唬敵人保護自己的像設，兩種銅像或許具有完全相反的意義。

從東周時期開始，來自西亞的藝術形式開始影響中國，比較寫實的人和動物的大型像設開始流行。按照中國中心地區的思想和祭祀傳統，宗廟裏的祖先和神壇的神祇不需要用形象的方式予以表現，因而作爲獨立的大型紀念性像設幾乎不見。但從東周晚期開始，可能源自西亞和愛琴海沿岸的藝術形式，就通過中亞和北方草原地區漸次傳入中國。張騫通西域、“絲綢之路”開通後，來自西域的商旅和使團更直接帶來了當時歐亞的藝術形式。在外來的獨立人物和動物造型雕塑的影響下，再加上中國自身神仙思想的發展，秦漢時期就已經開始在城闕上、宮殿前、陵墓邊安置銅鑄或石雕的人和動物造型。根據文獻記載，秦始皇就仿照“狄人”形象，用收繳各國兵器之銅鑄造了十二個“各重二十四萬斤”的銅人，將其放置在咸陽的宫殿前[37]，就連秦始皇陵也仿照生前苑囿鑄造了銅水禽等物。漢代長安城的未央宫建設好以後，又將這十二銅人遷至未央宫前[38]。此外，漢長安城的西城門的雙闕上，據説還有銅鑄的鳳凰[39]。曹魏都城鄴城著名的銅雀三臺，其名稱就與銅鳳凰等銅像有關[40]。魏晋洛陽城宫殿前所用銅鑄人和動物像設更多，有龍、飛廉、馬、駱駝、翁仲之類。洛陽城的這些銅像設影響很大，十六國時期，後趙石勒就曾將洛陽城的銅馬和銅翁仲各二運至襄國永豐門外[41]，其後，石季龍又將洛陽城剩餘的九龍、飛廉、駱駝、翁仲等搬到自己營建的鄴城宫殿外[42]。赫連勃勃修建統萬城，也仿照洛陽城鑄造鎏金的銅龍獸、飛廉、駱駝、翁仲等像，排列于宫殿前[43]。這種在城闕、宫殿等重要建築前設置銅像的風氣開辟後，以後歷代都要模仿和創作，儘管銅像的種類和風格有所不同，這種風氣却綿綿不絶。今天在北京明清故宫和清代頤和園的宫門和殿堂前，我們還可以見到麒麟、獅子、仙鶴等銅像設，就是這類銅像兩千多年發展歷史的尾聲。

在銅像設中還有一類最流行的造像種類，這就是佛道造像。佛教在東漢初年傳入中國，這種以“像教”著稱的宗教帶給中國的人們崇拜神像的習慣。就在佛教傳入中國不久的東漢時期，銅佛造像就與其他神仙造像一起出現在了四川及其周邊地區的銅製摇錢樹幹上[44]。東漢末期以後，社會動蕩，佛教有了傳播的社會基礎，佛寺造像之風漸起。《後漢書・陶謙傳》記東漢興平元年，曹操擊敗陶謙，略定其地，史家叙説陶謙敗亡的原因説：“初，同郡人笮融，聚衆數百，往依于謙，謙使督廣陵、下邳、彭城運糧。遂斷三郡委輸，大起浮屠寺。上累金盤，下爲重樓，又堂閣周回，可容三千許人，作黄金塗像，衣以錦彩。每浴佛，輒多設飲飯，布席于路，其有就食及觀者且萬餘人。”這説明至遲在漢末三國時期，包括金銅佛像在内的單獨的佛像已經出現。十六國時期，佛教造像開始興盛，中國目前所知的最早的銅佛像是美國舊金山亞洲藝術博物館的後趙建武四年（公元338年）金銅佛像，是當時佛教造像已經流行的實物證據。到了南北朝時期，金銅佛教造像更盛，北魏都城洛陽的永寧寺，其大殿“中有丈八金像一軀、中長金像十軀……，作功奇巧，冠于當世”[45]。南朝著名的瓦官寺金銅佛像也很著名，除了存放有東晋咸和至咸安年間從江水中分三次撈出的金像外[46]，還有晋恭帝爲太子時所鑄丈六金銅佛像、宋太子所鑄丈六銅像等大銅像，并出現了像戴顒這樣的對銅像造型頗有心得的藝術家[47]。由于興建佛寺和鑄妝佛像耗費社會財富太多，還在劉宋時期，朝廷就對鑄造銅像進行限制，要求今後凡鑄造銅像都要經過朝廷批準[48]。從南北朝後，歷朝歷代都有銅佛像的製作，并且受到佛教造像的影響，道教也鑄造了不少道教的神像。這些銅鑄佛像和道像儘管絶大多數都在戰亂中被銷毁鑄造兵器和錢幣，但仍有少許被保留下來。四川峨眉山萬年寺的北宋鑄造的坐在六牙白象上的普賢菩薩銅像，湖北武當山上明代鎏金銅鑄“金殿”内的真武大帝及其脅侍銅像，就是保存至今的銅像精品。

（二）銅器具

中國古代銅器具種類衆多，這些銅器具按照功用的不同，可以大致劃分爲容器、樂器、兵器、工具和飾件五種。每種銅器根據具體用途和功能可劃分爲若干大類：如容器有 “禮器”和 “常器”；樂器有單獨或成編的，也有“懸”、“足”、“植”的；兵器有近距作戰的長兵器和短兵器，還有遠距離作戰的射擊兵器；工具也有不同用途的；飾件更有裝飾車馬的車馬器，作爲建築裝飾的構件，還有作爲服飾的組成部分的帶具等類。每一大類青銅器還可以根據更具體的使用目的分劃爲若干小類，如青銅容器中的禮器可以根據所盛食品的不同劃分爲食器、酒器和水器，食器還有烹飪、盛食、取食器的分别，酒器有温酒、盛酒、注酒、飲酒器的不同，水器也還有傾注清水、承接弃水和盛水照容等用途的差异。在這些不同功能的銅器中，銅樂器、銅武器和銅工具更多的是追求其使用功能的完善，最具有藝術創意的主要體現在銅容器和銅飾件上。

1.銅容器

我們上面曾經提到，銅容器可以分爲禮器和常器兩類。在戰國晚期以前，銅容器以禮器爲主，到了戰國晚期以後，尤其是在東漢以後，日用的銅常器取代禮器成爲容器的主體。銅禮器是中國上古使用青銅材料最多、最受重視、因而也最具特色的器物種類。所謂“國之大事，在祀與戎”，在祭祀祖先神和其它神靈的活動中，用來盛放供神靈享用食物的銅禮器，它不單是一般的容器，而是在從事祭祀活動的人們與所祭祀的神靈之間起着加强雙方聯繫，使人們的意願和神靈的旨意能够憑借這些特殊的銅器所象之“物”相互傳達作用的禮器。東漢許慎《説文解字》將禮字解釋爲“所以事神致福也”，那麼禮器的本來意思就應當是敬事神靈的用器。在三代統治者的觀念中，現實的生人與虚幻的神靈間本存在着密切的聯繫，天上天帝與地上的人王本來就有親緣關係，商人的女祖先簡狄就是吃了天帝命令玄鳥銜來的一枚卵才生下商人的始祖契，周人的女祖先姜嫄也是踩踏了天帝的足迹才懷上了周人的始祖弃[49]，商人和周人的王死去以後，也“在帝左右”，幫助天帝治理下界[50]。在這種思想支配下，三代的統治者對于祭祀上帝和祖先的青銅容器自然極其重視，并將上帝之尊和祖先之親推而廣之，形成了以“尊尊”和“親親”爲核心的所謂“禮”[51]；將這種禮用包括青銅禮器在内的各種名物反映和表現出來，再輔之以使用這些器物人們的各種約定的行爲，作爲貴族間血緣關係的親疏和等級地位高低的標志，這就是與“禮”相輔相成的“儀”。這些儀禮雖然在周代才趨于完備，但其産生却開始于三代之初甚至三代以前[52]。使用于事神敬祖等禮儀中的禮器伴隨着禮制産生和形成而出現，并至遲在東周時期就已經形成了“禮器”的專名。周代後期成書的《禮記》中專辟有《禮器》篇來使“學禮者成德器之美”，使“行禮者明用器之制”[53]。這已是“禮器大備”以後的事了。青銅禮器是三代青銅器中數量比例最大的一個器物種屬，三代當時的人們對于這些青銅器就賦予了不同的名稱。這些名稱有通用的，如尊、彝、尊彝等等，也有用于某種專門用途的，如旅彝、媵、升鼎等等，還有名目繁多的專有名稱，如鼎、簋、鬲、甗等等。前兩類名稱是從禮器功用的角度來劃分的，它們表示的是禮器的不同用途，反映的是禮器大的種類；後一類名稱則是從禮器的形態的角度來命名的，它代表着不同總體形態的一類器物。三代的人們對銅器種類的劃分原本是以功能爲首要標準，而以形態爲次要標準的。

從器物形態上也可以從不同的層次對青銅器進行分類。從總體造型來説，青銅禮器可以分爲幾何形和像生形兩個大的系列。幾何形銅器是比較規整的仿照竹木等容器（如葫蘆）和陶製容器製作的銅器，“尊彝”的尊字就像幾何形的容器。像生形銅器是仿照動物或從動物形態簡化抽象製作的銅容器，彝字就像像生形的容器。

（1）幾何形銅器

幾何形銅禮器可以分爲立足器、圈足器、無足器三個大的系列。其中立足器的造型有上置對稱立耳的左右對稱類，也有前有流、後有鋬的不對稱的前後呼應類；圈足器根據器體的立面形態可以分爲對稱布局和非對稱布局兩種，前者的又可分爲具有頸領、器體和圈足三段的，衹有器體和圈足兩段的；無足器也有左右對稱類和前後呼應類的區别[54]。

①立足器：它是容器與支脚結合的造型，是器側或器底有三條或四條腿支撑器身空腔的容器。可以分爲對稱造型和非對稱造型兩大類：對稱造型立足器有鼎、鬲、甗、盨、敦諸類，主要是飪食器。這些器類（尤其是前兩類）講究對稱，造型嚴謹莊重，最爲當時人所重。不對稱造型立足器有爵、角、斝、盉、匜（卣）等，主要是温酒、注酒、飲酒器。它們的造型講究的是前後呼應，富于變化。

②圈足器：它是容器與筒形器座結合的容器造型，器底有或高或低的圓圈形足。器物造型一般都注重對稱的造型規律，不對稱造型的器類較少。屬于對稱三段式圈足器有尊、罍、觚、觶、壺等，屬于對稱兩段式圈足器有簋、盨、鎺、瓿、盤、豆、鋪等。

③無足器：平底器也以左右對稱類爲多，鈚、盆、鑑以及無足的罍、盉、盤都可歸入此類，衹有瓠壺和匜爲不對稱的造型。

（2）動物造型

模仿鳥獸造型的“鳥獸形器”。它與平面呈幾何形狀的銅禮器中的有的器類功能相同，但造型完全异趣，在青銅造型藝術中占有重要的地位。這些鳥獸形器大多數完全模仿鳥獸的外形，但有部分鳥獸形器被做成將幾何形尊等插入鳥獸背部的形狀，尊的上部從鳥獸的背上伸出，别有一番意味。

完全模仿鳥獸之形的青銅禮器，在器口和器蓋的處理上却存在着明顯的差异，有的鳥獸形銅器從鳥獸的上部或背部將器分爲器蓋和器身，二者扣合後就好似一隻完整的鳥獸。這類鳥獸形器中的獸形器，其蓋一般從頭蓋到尾，内裝酒水可以從前端傾注，其用途當如幾何形銅禮器中的匜；但鳥形器一般却以鳥頸爲蓋、器的分界，鳥首爲器蓋，其功用類似于幾何形禮器中的壺。

鳥獸形禮器系列有鳥類造型和獸類造型的不同，其中鳥類造型禮器有器口外露和器口内藏兩類，獸類造型禮器有左右對稱的聯體類和體形完好的單體類兩種，聯體的獸類造型青銅禮器很少見，衹有現藏日本東京根津美術館和英國倫敦大英博物館收藏的雙羊形銅尊屬于此類，而單體的獸類造型青銅禮器數量較多，它們也有器口外露和器口内藏兩類，動物的種類則有牛、羊、虎、鹿、馬、兔等差异。

以上按形態對青銅禮器的分類也存在着一些缺陷。首先，它把用途和自名都相同的有些器類劃分成了不同的系列，如盉、罍既有圈足也有平底，盤、匜則立足、圈足、平底三者兼具，它們本屬一種器類，在這個分類中却被割裂分隔開來。大概正是由于這個原因，青銅器研究者和考古學家一般不采用這樣的分類。其次，是上面的分類從考古分類來説仍然還不够嚴密，如立足器的左右對稱類還可以按照足的形態分爲圓實足的鼎和空袋足的鬲、甗，圈足器的左右對稱類的三段式也還可以以口部大小爲標準劃分爲大口、中口和小口等，就是壺也還可以根據有無提梁劃分爲提梁壺和雙耳壺兩類（前者通常更命名爲卣）。不過，儘管存在着這樣或那樣的問題，從形態上而不是從用途和名稱上對三代青銅禮器進行觀察，却是更符合藝術史研究的需要，更何况無論哪種青銅器的分類方法，它們都是以静態的方式來觀察青銅器，而青銅器的形態在其發展過程中本來就不斷地發生變化。從上面列舉的三代青銅禮器的造型分類來看，它最大的外形區别是幾何形器與鳥獸形器的不同，其次才是器物站立放置方式和整體立面的差异，最後才是禮器立面上下各段間的差异。這樣，我們就可以從不同的層次去對青銅禮器的造型藝術進行分析和觀察。

青銅禮器的造型分類與功能分類有着密切的聯繫，不同造型的禮器在相當大的程度上是由其不同的用途决定的。青銅禮器中帶足的立足器，其器身被三隻或四隻較高的立足支撑架空，在器的三足或四足之間有較高的開敞的空間，可以放置燃料并燃燒加熱上面器身裏的東西，故帶立足的器物最初一般都是用作加温烹煮食品，如鼎、鬲、爵等。爲了加大器物下部的受火面積，帶立足的青銅禮器其器足往往做成較粗的空心乳袋形，如鬲、甗以及斝、盉中的某些類型。青銅禮器中的圈足器，就其用途來説，既有食器，也有酒器和水器。其中食器的器類就有鼎、鬲、甗、簋、瑚、盨、豆、鋪等類。這些器類的造型儘管有方有圓，似乎變异很大，但它們却有一個共同的特點，那就是它們無一不是講究對稱穩重，絶對不會有前後或左右不同形態的造型出現，其中像瑚和盨等器類不僅講究左右的對稱，還要講究上下的對稱。酒器和水器的情况就不同了，它們是盛裝液體食品的器物，有的器物種類就是要求將裝在器中的酒或者水傾倒出來，所以儲存酒水的器物如尊、罍、瓿、壺等的造型也都是左右對稱，莊嚴穩重，而用來往其它器物中倒酒或倒水的器類，如爵、盉、匜等，自然也就要前有約束酒水以防横溢的凹槽狀流或管狀流，後有可以用手把持以便傾倒的把手，其造型當然就不會左右對稱了。類似的例子還可以列舉很多，它們都清楚地表明了青銅禮器造型與功能之間的緊密關係。

2.銅樂器

銅樂器在中國古代往往是與銅禮器聯繫在一起的，所謂“制禮作樂”説的就是這個意思。銅樂器有打擊樂器和吹奏樂器兩大類，後者要麽祇在個别區域有少許發現（如葫蘆笙），要麽就是較晚才出現并流行（如鎖吶），中國銅樂器基本上是打擊樂器。先秦時期的打擊銅樂器有鐘、镈、鐃、鉦、鈴等不同種類，但造型都是以開敞一端稍大、封堵一端稍小的扁體鐘爲主，其形態好似扣在一起的兩片瓦，故稱“合瓦形”。這種形態的鐘，敲擊正面和側面可以發出兩個不同的音，故又稱雙音鐘。雙音鐘本來是早期空腔技術限制的産物，但自從成爲一種傳統以後，當時的匠師巧妙利用了扁體鐘這種雙音節的性能，創造出了可以演奏樂曲的銅編鐘等成編成組的打擊樂器。

3.銅飾件

以青銅鑄造的神獸造型作爲其它材質器物的裝飾，是三代由來已久的傳統。早在商代前期的河南鄭州市小商橋建築遺址中，就出土有用作建築梁枋出頭裝飾的獸面紋銅件。從商代前後期之際開始，以立體神獸作爲裝飾主題的青銅構件逐漸增多，在四川廣漢市三星堆器物坑中，就出土了爲數不少的具有神性的青銅鳥獸。著名的三星堆爬龍銅柱飾，它可能是一根木杖或木柱頂端的飾件。銅飾呈上部略粗的圓柱形，其上端封閉而下端開敞，一條立體的爬龍從柱後爬向柱頂，伸出兩前足按在柱頂探首眺望。柱首前方有升騰的立體捲雲，與相對的爬龍形成呼應并起着襯托的作用。龍的造型生動，長短彎角各一對，形態相當别致[55]。商代後期以後，青銅神獸構件在建築、馬車、室内裝修和家具上也應當不少，這些構件除了車馬坑中埋葬的馬車車轅和車軸上的神獸形銅飾件外，其它類型的構件很少能保存至今。河北易縣燕下都老姆臺出土的高逾半米的銜環銅鋪首，是罕見的戰國時期宫殿門上青銅神獸裝飾的遺存。銅鋪首爲巨目棘鼻、尖角尖齒，其上以正視的攫蛇雄鷹爲額，相對的鳳鳥爲嘴，兩條巨龍由下而上，盤據于獸面兩側。鋪首的鑄造運用了多種複雜的成形工藝，整體造型嚴謹，動物形象生動，給人以浮雕和透空的效果[56]。

與青銅神獸構件不同，仿照自然界現實動物鑄造的青銅動物構件表現爲另一種的藝術風格。這種風格的青銅動物造型的構件在中原系青銅器中和北方系青銅器中都屢見不鮮，南方系青銅器中也有少量的發現。中原系銅器的動物造型構件在商代和西周數量很少，也没有脱離古典青銅藝術的神秘和猙獰。河南安陽市殷墟婦好墓出土的鑲嵌緑松石的銅虎和兩件可能鑲嵌在漆木器上的玉柱銅虎頭，它們大都突出表現虎的頭部和捲尾，却簡省了虎的身軀和後肢，還不能説是完全寫實的動物造型。而北京房山區琉璃河遺址出土的裝飾在馬車上的虎首銅軏和馬頭形銅衡飾，其形態就已經相當逼真，已經富于寫實的意味[57]。這種寫實風格的動物造型到了戰國時期（特别是戰國後期）比較多見于列國銅器中，除了銅器的動物造型的附屬裝飾外，還有不少以動物造型或人和動物混合造型的青銅器座。如果説中原青銅藝術的動物造型的構件多數位于器物下端，是具有實用功能的器座的話，北方青銅藝術中的青銅動物造型則往往位于其它材質器物的上端，衹有純粹的裝飾作用。這種裝飾于器物頂端的青銅寫實動物的裝飾，早在夏代或商代前期就已經出現，甘肅玉門市火燒溝四羊銅杖首，即其一例。從商代後期開始，北方地區普遍流行以青銅立體動物形態作爲銅兵器和銅用具柄端或後端的裝飾，但單獨的動物造型銅構件在商代和西周時期還比較少見，山西曲沃縣北趙晋侯墓地最早一座晋侯夫人墓葬（13號墓）中出土的西周中期的立鹿銅杖首，杖首下部爲帶圓銎的長筒，筒的封閉的頂端站立着一頭長着分叉大角的立鹿作爲裝飾。類似的在木杖、木柱的頂端安裝立體動物裝飾的銅套的作法，在東周時期的北方地區頗爲流行，涌現出了不少造型逼真、生動可愛的寫實動物的青銅構件。這些青銅構件的動物種類以游牧古族主要牲畜羊和馬最多，其它也多是草原上温順的鹿和羊一類動物，而虎、豹一類猛獸比較少見。動物造像大都表現動物的全身，很少衹表現動物的頭部，像内蒙古準格爾旗玉隆太銅羊首飾這樣的生動傳神、刻劃細緻的青銅動物構件，在當時是并不多見的。動物的形態有站立和蹲踞兩種，這兩種姿勢表現的都是處于静態的動物形象，不過從這些似乎静止的動物造型中，却也蘊含着即將發生的運動。

青銅帶具和帶飾是人的腰帶或馬的革帶上，起着括結作用和裝飾作用的構件和飾件。腰帶束結于人的腰間，可以起到約束和妝點作用，是古人服飾重要的組成部分；馬絡帶則繫套在游牧古族心愛的坐騎上，自然也受到他們的重視。從很早的時代起，人們就開始在這些革帶上用青銅等當時最牢固和相對美觀的材料來製作帶具和裝飾的飾件，逐漸形成了青銅飾件中極有特色一類工藝。

作爲身上服飾的銅帶具種類較多，造型和紋飾都比較講究。視其功用和形態的不同，可以大致分爲兩大類[58]。第一類是革帶一端或兩端的銅製繫聯裝置，它有四種形制：一是銅帶頭，它是固定于革帶兩頭以方便束結，并使腰帶更加引人注目的帶具，主要流行于東周時期；二是銅帶鐍，它是固定在革帶一頭的頂端的括結部件，其表面有固定的凸齒，可以插入革帶的穿孔内，也見于東周時期；三是銅帶鈎，這種銅製括結帶具出現于春秋晚期，由于它容易括結，使用方便，戰國時期和秦漢時期都相當流行；四是銅帶扣，其結構與現代皮帶的帶扣相似，後部轉軸上裝活動扣舌，扣舌可以插入革帶的孔内固定革帶。帶扣秦漢時期就已經出現，因使用方便，兩晉以後成爲帶具的主流。第二類是銅帶飾，它是革帶上穿帶的裝飾性銅飾件。銅帶飾在西周晚期的北方地區就已出現，東周時期北方系銅帶飾中形態多樣的飾件，如群獸形、雙獸形、獸首形、雙龍形、雲目形、聯珠形、兔首形、花朵形和簡單的圓泡形等，背面都有小鈕。從南北朝末期開始，帶飾受到越來越多的重視，其他材質的飾件占據了主導地位，銅飾件逐漸被忽略。

四、中國青銅藝術的歷程

中國銅器自史前時代出現後，在漫長的發展演變過程中，由于各方面的原因，導致了其發展進程發生了多次明顯的變化，形成了中國銅器的若干發展階段。這些變化表現在銅器的鑄造工藝、種類數量、器物造型、裝飾手法等許多方面，影響和制約到了中國青銅時代技術、藝術和社會生活的方方面面。

關于中國銅器和青銅藝術的發展歷程，中國不少學者曾經做過研究。早在1934年，旅居日本的郭沫若就將中國先秦時期的銅器發展劃分爲大約相當殷商前期的“濫觴期”、殷商後期至西周穆王的“勃古期”、西周恭王以後至春秋中葉的“開放期”以及春秋中葉至戰國末年的“新式期”共四期[59]。郭氏的銅器分期方法是“先讓銘辭史實自述其年代，年代既明，形制與紋縝遂自呈其條貫也，形制與紋縝如是，即銘辭之紋飾與字體亦莫不如是。”這四期中相當于殷商前期的第一期“濫觴期”，當時并無考古證據和確切的銅器標本，僅是基于青銅器發展應當經歷這一過程的推測。其它三期郭氏都簡要列舉了各期的典型銅器種類和紋飾，概述了它們的形制、紋飾、文辭和字體特徵，分析了其藝術風格、文化淵源和社會背景。這些都是具有里程碑意義的創建，基本奠定了中國青銅器和中國青銅藝術分期的基礎[60]。繼郭沫若對中國青銅器進行比較全面分期的還有郭寶鈞、李學勤等學者。郭寶鈞的研究成果是他去世後的1981年才由他的學生整理出版，他所利用的分期材料祇限于出土的成群銅器，選取其中出土地點可靠、時代明確的器群作爲分期斷代的“界標”，再通過器物的鑄造工藝、種類形態和紋飾等方面的類比，串連排比其它銅器群于“界標”間，從而將中國青銅器發展史劃分爲相當于二里頭文化時期的早商期、相當于二里岡期商文化的中商期、晚商及西周前期、西周後期至春秋早期、春秋中期至戰國前期、戰國中晚期六期[61]。郭寶鈞的分期特點一是注意銅器的共存關係，以銅器群作界標來代替單件的標準器，這是考古學分期研究的基本方法，也是郭沫若標準器斷代法的推演；二是特別注重銅器鑄造工藝，將其作爲分期的重要標準之一。他的分期結論與郭沫若1957年修改後的分期結論相比，有兩項重要的改進：其一是利用新的出土材料，增加了郭沫若分期所没有的早于殷墟銅器的早商期和中商期（他所説的早商也就是被許多學者認爲是夏代的二里頭文化時期，他所説的中商在多數學者看來實際應是早商）；其二是將最後一期與前一期的分界改定在戰國早、中期之際前後，而不是戰國末葉以後。後者是對中國青銅器及青銅文化相當有價值的新認識。不過，如同絶大多數中國銅器研究者一樣，郭沫若、郭寶鈞對中國青銅器分期的看法，實際上都衹是基于中原系銅器基礎上的認識，没有注意非中原青銅器的情况。李學勤開始注意到了中原周圍其它青銅文化的銅器藝術，并對秦漢以後銅器也予以相當的重視。他對中國青銅器的起源和發展作了高度概括的考察，提出了中國青銅藝術的發展在商代後期即殷墟時期經歷了第一高峰期，在春秋中期至戰國中期經歷了第二高峰期，直至東漢時期才進入了尾聲的重要見解。

在上述關于中國銅器發展史的研究中，研究者關注的對象大都衹是先秦時期的銅器，考察的年代範圍下限最多衹到漢代。漢代以後，中國銅器生産的規模和産品的種類儘管已不如先秦時期，技術和工藝也發展緩慢且缺乏一以貫之的連續性，但銅器（尤其是銅的藝術品）的生産仍有相當的規模，技術和工藝也在繼續發展。將秦漢以後或漢代以後排除在中國青銅器發展史的考察對象之外，顯然是不妥當的。杜迺松先生注意到了這個問題，他在其《中國青銅器發展史》一書的序言中提出，“（中國）青銅器自身有着一個完整的發展演變系統，大體説，青銅器在原始社會後期開始萌芽，夏代初步發展，商周鼎盛，春秋戰國繁榮，秦漢則變革、中興，兩晋南北朝至隋唐走向衰落，宋元明清仿古和作僞。”因此，他在該書的篇章結構中，按中國青銅器發展史的階段性，將其劃分爲十期，即原始社會後期、夏代、商代、西周、春秋戰國、秦代、兩漢、三國兩晋南北朝、隋唐、宋元明清[62]。杜先生將中國青銅器的發展歷史從原始社會末期一直延續到明清時期，其認識無疑是正確的，但是他按照歷史朝代而不是青銅器本身的技術工藝、藝術風格、器用地位來考察青銅器發展階段的轉折點，這却不能不是一個缺憾。此外，將短暫的秦代單列爲一期，秦代在青銅冶鑄技術和藝術上又無特别的貢獻，這也顯然受到了秦王朝統一中國的歷史背景的影響，不是銅器發展史本身實際存在的可以在遺留銅器上觀察到的銅器的發展階段。

在中國青銅器發展走過的路程上，無論是夏商之際還是戰國秦漢之際，我們都看不出青銅藝術發生了什麽大的變化，古代王朝的某些歷史分界不宜作爲銅器發展演變史的分界。西方學者不大容易受到我們歷史朝代分期的制約，因而在他們對中國古代史和中國藝術史的分期中，往往將佛教傳入中國并對中國社會發生重大影響的漢末作爲“早期中國”與“中期中國”的分界。的確，在漢末以前，中國的中心地區儘管先後受到了來自西亞和中亞的一些題材、造型和裝飾元素的影響，但這種影響從來没有動摇發生自中國本土的藝術傳統，至多出現了像漢畫這樣的基于傳統的藝術風格變异；西晋以後的情况則大不相同，傳統的社會思潮、創造題材、藝術風格都發生了顛覆性的轉變。就中國藝術史總的發展歷程來説，漢晋之際的確可以説是藝術發展的一大轉折。不過，就銅器藝術來説，戰國中期開始的銅器工藝、種類、造型和裝飾風格的變化，其變异程度絶不亞于漢晋之際。正是從這時開始，鐵器已經取代了銅器在生産和生活領域的重要作用，銅器已經從先前的宗教和軍事領域内退出，原先傳統的銅禮器和作戰用銅兵器已經不再是銅器的核心種類，取而代之的是銅鑄幣和銅鏡等新品種。因此，我們可以以戰國前後期爲界將中國銅器藝術發展的歷程劃分爲前後兩個大的時期，即青銅時代的銅器藝術和鐵器時代的銅器藝術。

（一）中國青銅時代的銅器藝術

這個發展時期相當于夏代後期至戰國前期，絶對年代約公元前1800–300年。我們將中國青銅藝術的發生時期推定在夏代，没有包括銅器甚至青銅器已經出現的新石器時代末期，這是因爲，儘管中國仰韶文化時代就有零星的銅器發現，龍山文化時代銅器已經在黄河流域有較廣泛的分布，但這些銅器基本上衹是一些很小的工具，還没有將銅運用于製造像陶容器或像玉雕那樣具有審美意識作品的能力。事實上，直至二里頭文化的早期，銅器的出土數量和内容還與龍山文化時代没什麽兩樣，真正出現變化的是在二里頭文化早晚期之間。關于這個問題，河南偃師市二里頭遺址早、晚期（二里頭文化的早晚期即以之爲代表）銅器數量、銅器質料和銅器種類的顯著變化，就清晰地説明了這一點。通過對已經有正式考古報告的1959–1973年二里頭遺址的發掘材料的統計，其早期總共衹出土了銅器六件（第一期二件，第二期四件），都是小件工具，没有銅容器，空腔銅器有銅鈴一件；晚期則出土了銅器七十六件（第三期四十件，第四期三十六件），除了工具外，還有銅爵六件、銅斝一件、銅戈二件、銅鉞一件，此外還有嵌貼緑松石的圓形銅器[63]。這些銅器都以青銅爲主，如果以錫、鉛含量小于2%爲紅銅器的話，早期紅銅器占33%，晚期衹占6.7%。中國銅器發展應該是在二里頭文化早、晚期之際發生了從紅銅時代到青銅時代的轉變。從銅器類型來看，二里頭遺址早期具有中國銅器傳統特徵的銅器衹有銅鈴一種，而在二里頭遺址晚期則出現了鼎、爵、斝、盉、戈、鉞六種，這些銅器中的容器造型都是抽象化和幾何化的動物造型，這正是中國銅器最基本造型系列之一。二里頭文化早、晚期銅器的這種變化，反映了中國銅器在生産規模、製作技術和藝術造型的變化，反映了銅器製作者從衹關心使用功能到兼顧審美意識的變化，中國藝術從以陶器爲代表的時代已經轉變爲以銅器爲代表的時代。

中國銅器從夏代後期開始，中原的二里頭文化才鑄造出了具有象徵意義的銅禮器和具有傳統特色的銅兵器，以及用複合工藝製作出的精美的銅飾件，甘青地區也在此時才普遍使用銅器，才出現了以小件銅工具和寫實動物的銅飾件，中國的中原系青銅藝術和北方系青銅藝術傳統才真正形成。從此以後到商代前期的二里岡早期階段，青銅器的數量還很有限，銅器造型和裝飾還停留在夏代後期的水平而發展不大，二里岡早期的中國青銅器與夏代後期一樣，都屬于中國青銅藝術的萌生和形成階段。中國銅器獲得迅速發展是在商代前期的二里岡後期，由此而往，經歷了二里岡後期至殷墟早期商代前期的崛起和發展，商代後期至西周前期的繁榮和興盛，西周後期和春秋早期的普及和規範，春秋中期至戰國中期的新興和精進，然後在戰國中期偏晚階段開始轉變并緩慢走向衰落。

1.萌芽時期的中國銅器藝術

約公元前1800–前1500年。在這個階段，黄河流域及東方沿海地區都有數量不等的青銅器發現。從青銅器數量和工藝水平來看，在所有的這些青銅文化中，中原的二里頭文化銅器種類最豐富，藝術品味也最高，甘青的四壩文化銅器分布最密集，技術水平較之中原也不見得遜色，從而形成了中國早期青銅技術工藝的兩個中心。中原青銅文化系統于此期產生并逐漸形成。青銅冶鑄工業剛剛興起，銅器使用領域還有限，禮器僅限于鼎、觚、爵、斝、盉、角幾類，這些器物都器壁很薄，鑄造欠精，造型古拙，罕見紋飾，即使有紋飾也僅是簡單的樊籬紋等，與以後諸期銅器還不能相比。這時期最主要的青銅禮器是爵和斝，它們可能是仿自更早出現的類似形狀的陶製器皿。銅爵的造型爲長流短尾的形制，流部既長且平，三條實錐足纖細直立，整體造型上部比下部寬大許多，缺乏穩定感。銅斝的身體均細長，頸長而腹短，比例不當，也給人頭重脚輕之感。這一時期除了二里頭文化的那些銅禮器外，最值得稱道的青銅藝術品有三類：一是二里頭文化的嵌貼緑松石銅飾牌，二是齊家文化的圓形具鈕銅鏡，三是四壩文化的獸首銅杖頭。飾牌是銅石複合銅器，它以銅框爲底，上用緑松石片鑲嵌出蛇或龍頭部的圖案，與中原系青銅器後來流行的獸面紋具有相同的設計創意。銅鏡形狀呈圓形，背面中央爲鏡鈕，鈕座外有的還鑄以平行短綫構成的多角紋和光芒紋，其形制和紋飾開中國銅鏡藝術的先河。

2.發展時期的中國銅器藝術

約公元前1500–前1200年。從商代前期後段開始，到商代後期前段結束爲止（也就是商文化二里岡上層期及殷墟早期，絶對年代大約相當于公元前1500–前1250年）。這時期中原青銅文化系統形成并急劇向周圍擴張，中原商文化先進的青銅冶鑄工藝隨着商文化的擴張傳播到四面八方，莊嚴雄渾、裝飾着獸面紋的主題紋樣的中原系青銅禮器在東至渤海之濱，西至青海西寧，北到西拉木倫河，南至湘江、贛江流域都有出土。這一時期青銅器的出土地點和出土數量較前期增多，分布範圍更加廣闊，出現了一些銅器集中出土地點和典型銅器群，最著名有河南鄭州市商城銅器、湖北武漢市黄陂區盤龍城銅器、四川廣漢市三星堆器物坑銅器、江西新干縣大洋洲銅器群等[64]。銅器中既有像鄭州杜嶺大方鼎等那樣莊嚴宏偉的青銅重器，像安徽阜南月兒河龍虎銅尊、獸面紋銅尊那樣優雅美觀的禮器精品，也有像三星堆凸目神面銅像、大立人銅像、扶桑銅神樹等那樣的高大神秘的青銅造像，還有如大洋洲大墓虎耳銅方鼎、鹿耳四足銅甗那樣在中原系銅禮器的耳上添加立體動物附飾，給人以平凡而异常感覺的器物。銅器鑄造技術以渾鑄法爲主，分鑄法已經廣泛采用。青銅器種類增多，有禮器、樂器、兵器、工具、像設、飾件等多種。青銅禮器中除上期出現的銅器種類外，新出現有鬲、甗、簋、尊、罍、瓿、壺（包括提梁壺）、卣（匜）、盤等器類，銅樂器如鐃、镈等也已經産生。青銅器尚有前一期青銅器的遺意，器物一般比較單薄。青銅禮器基本上都是抽象了的幾何形銅器，比較寫實的動物造型的銅禮器尚未流行。體態一般仍顯得較高，但前一時期普遍存在的頭重足輕的造型缺陷已經有所改正。銅器的流和尾不再像先前那樣平伸，而是向上翹，比較纖細的錐狀三足器的三足不再像以前那樣垂直向下，而是下部外撇。紋飾布局以帶狀布局爲主，偏晚階段流行器表滿花的作風，少見立體裝飾和多層浮雕紋樣。如果主體紋樣突出器表，器的内壁也隨之外凸，有如後世金銀器的錘鍱紋飾的效果。主題紋飾以獸面紋占絶對多數，紋飾以寬平的帶狀綫條或細綫條組成，作爲襯托的幾何紋樣與主題紋樣的綫條交織在一起，主次對比尚不分明。青銅藝術具有既輕薄簡練，又優雅氣派的基本風格。在這個時期，青銅器的器物種類已經基本齊全，這是中國銅器發展史的成熟期。

3.高峰時期的中國銅器藝術

商代後期到西周中期前段，約公元前1250–前900年。中國青銅器經過上一時期的發展，在這一時期已經攀登至一個峰顛，形成了中國青銅藝術史上的第一高峰期。這時期的中原青銅文化系統分布區較上期有所縮小，商文化與周文化的過渡在這一時期基本完成。青銅器數量之多，分布之廣，製作之精，都是前一個時期所不能比擬的。中原的北面已經出現了分布範圍十分廣闊的北方青銅文化系統，甘青地區的寺窪文化和唐汪文化在這個時期逐漸取代了原先的辛店文化和卡約文化，北方的李家崖文化和魏營子文化也分别在朱開溝文化和魏營子文化的故地發展起來。這時期北方系青銅器穩固的藝術風格已經形成，管銎銅軍斧、雙齒格銅短劍或齒格弧背刀成爲比較固定的器物組合，以及這些銅器背部的立體動物裝飾和柄端的動物頭部裝飾，構成了北方青銅藝術的鮮明特色。隨着大北方青銅文化圈的形成，北方青銅藝術開始向周圍地區施加影響，其影響力一直深入到了東北地區的高臺山文化和新疆東部的焉不拉克文化之中。南方地區青銅文化這一時期也多發生了變化：四川盆地的十二橋文化青銅器的普及程度超過了先前的三星堆文化；湖南的皂市文化達到了鼎盛，出現了寧鄉銅器這樣的銅器集中出土地點和大量可以與中原最精美銅器比美的銅器作品；江西的吴城文化在這一時期趨于衰亡，晚于吴城文化的青銅文化至今尚未確認；而江蘇南部一帶的湖熟文化在此期間也完成了向後湖熟文化（或稱吴文化）的轉變。南方地區的青銅器仍以仿效中原同時期青銅器爲主，祇是銅器種類喜歡集中在個别特定的器類上，如十二橋文化以成列的銅瑗爲主要禮器，湖南喜歡動物造型的銅禮器和大型打擊樂器，青銅藝術地方風格不及北方地區顯著。銅器出土數量和種類更加繁多，重要銅器出土地點有河南安陽殷墟、遼寧喀左、湖南寧鄉、陝西寶鷄漁國墓地等[65]，典型的銅器群有殷墟婦好墓銅器群等。這時的銅器鑄造工藝已經發展到很高的水平，大型熔爐、地槽澆鑄、組合外範和嵌範等設施和技術的采用，使得這時期鑄造出了像司母戊大方鼎那樣重達847千克的大銅方鼎，像殷墟牛鹿銅方鼎、轉耳侖四羊銅方尊、故宫藏三羊大銅罍、弗利爾虎抱人形提梁壺、左中右銅方盉這樣繁富精美的銅器。青銅禮器仍以酒器爲主，但食器的比例在逐漸增加。新增加了觶、方彝、卣（多稱觥）、貫耳壺和各種鳥獸造形的酒器，許多在前一期比較少見的器類至此期才開始流行。青銅器造型厚重高峻，紋飾繁富多樣，主題紋樣凸起，附屬地紋纖細，主次對比鮮明。主題紋樣除獸面紋外，還有夔龍紋、鳳鳥紋、蟬紋、魚紋、龜紋、蛇紋等，其中夔龍、鳳鳥紋的比例逐漸在加大，而獸面紋在逐漸減少。蟠龍、龜、魚這類水族動物通常施用于水器内，從此成爲傳統。附屬紋樣中出現了蕉葉、垂葉、三角雲紋等新紋飾，它們一般飾于器頸上或器腹下，占據了器表過去完全光素的位置，使銅器紋飾顯得更加豐滿和富有變化。紋飾的表現形式有單純的粗細綫條、雙層的帶地紋的淺浮雕狀和高浮雕狀、以及少許透雕狀。銅器附屬立體動物裝飾增多，扉棱變長變寬，裝飾意味更加突出。在銅器内鑄銘文的風氣開始流行，不過這些銘文基本上還不具備裝飾的功能。青銅藝術的總體時代風格顯得渾厚凝重、精美繁複。

4.固化時期的中國銅器藝術

西周中期後段至春秋早、中期之際，絶對年代約公元前900–前650年，中國青銅藝術在到達第一個高峰後，在此期開始走下坡路，步入了兩個高峰間的低谷。這是周王朝逐漸衰落的時期，却也是中原周文化特質形成并傳播至相當廣闊地區的時期。在這一時期，中原地區周文化自身的因素已經基本取代了商文化的因素，商文化傳統的銅酒器趨于消失，一組新的銅食器開始産生。銅器的種類減少，形態規範。銅禮器已有嚴密的列器制度，鼎、簋、壺、匜、盤成爲了一種基本固定的禮器組合：鼎數爲1-9的奇數，形態紋飾相同，大小依次遞減；簋數爲2-8的偶數，形態紋飾和大小均相同；壺往往成雙成對；匜、盤多爲一件。這樣的一組銅禮器與八件一組（或多組）的銅編鐘排列在廟堂中，給人以規整有序、莊嚴肅穆的感覺。銅器中新出現了鍸、盨、匜等器類，先前不甚流行的鋪、壺、盤等在此期也變得較爲流行。器體不及先前高峰期的厚重，花紋簡樸。中國北方青銅文化普遍進入一個衰落時期，先前的北方系銅器已經很少見到，新的具有北方草原風格的銅器，如動物造型的帶飾、獸首飾、聯珠飾等在北方偏東的夏家店上層文化中已出現，但分布範圍很小。東北地區青銅文化雙房文化開始進入了繁榮階段，東北系銅器形成了自己的風格，造型别致的短莖曲刃短劍傳播到了相對廣闊的區域。中國南方青銅文化在此期間多呈衰落景象，四川盆地青銅文化出現了分裂，川西平原與川江沿岸的青銅文化的面貌出現了明顯的差异；湖南和江西固有青銅文化已經消失，當地文化傳統中斷；江浙地區以土墩墓爲特徵的後湖熟文化（吴文化）走向繁榮，大量的青銅器在該地區涌現。由于南方與中原周文化聯繫的中斷，該地區銅器形態和紋飾呈現出明顯守舊的趨勢，西周早、中期的某些銅器（如尊、提梁壺）的基本樣式及夔龍紋、鳳鳥紋等在這時的南方不少地區仍然沿用。這時期的青銅器發現很多，陝西周原銅器、山西曲沃北趙晋侯墓地銅器、河南三門峽上村嶺虢國墓地銅器等[66]，就是其中的代表。而著名的禹銅鼎、毛公銅鼎、胡銅簋、晋侯頣銅壺、史墻銅盤、虢季子白盤等更是具有代表性的銅禮器。這一時期的銅器鑄造追求數量，工藝趨于簡易，過去采用分鑄法鑄造的器物這時也采用了渾鑄法。銅禮器的造型由高瘦變得低矮，給人以穩定之感。裝飾風格顯得粗放，一直作爲主題紋樣的複雜的動物紋樣已經少見，主題紋樣在銅器上的地位已經被相對簡易的重環紋、竊曲紋、波帶紋、垂鱗紋、瓦溝紋等幾何紋樣或簡化動物紋樣所取代。就是那些傳統的動物紋樣，這時的單元體量也普遍縮小，刻劃隨意草率，綫條柔弱乏力。由于紋飾的構圖單元變小，三單元或四單元的傳統紋飾布局已經讓位于帶狀的連續布局。到了這一時期，隨着淺腹銅器的增加和長篇銘文的普遍，器内銘文日益顯眼，它們作爲青銅器的一種裝飾手段開始受到重視。這時期青銅藝術給人的印象是穩重和統一，簡練和明快。

5.分化時期的中國銅器藝術

從春秋中期到戰國中晚期之際，絶對年代相當于公元前650-前350年。中國青銅器在經歷了中衰的低谷後，又開始迅速攀升，走向了中國青銅藝術發展的第二個高峰。在這一時期的中原地區，周天子已經失去了天下共主的地位，一些諸侯大國開始崛起，出現了圍繞着這幾個諸侯大國的地緣集團，中原青銅文化在總體風格基本一致的情况下，也明顯地存在着晋、秦、楚、齊、燕幾個亞文化之間的區别，形成了所謂中原列國文化區。中原列國文化區周邊的其它古國古族此時异常活躍。在中國北方，曾威脅中原諸國的戎狄族群，逐漸形成了流動性很大的騎馬民族，出現了分布範圍廣闊、富有共性的新的北方草原青銅文化和新北方系青銅器；在東北地區，從西周以來就開始繁盛的東北青銅文化系統諸文化尚未受到中原青銅文化系統的强烈衝擊，繼續保持着其文化特色；在西北邊區，氐羌族群的西戎在强大秦國打擊下，基本分散瓦解，未臣服于秦的氐羌分别向河西走廊和川西高原兩個方向遷徙，這一地區延綿了數千年之久的文化傳統從此中斷。在南方邊區，東南的吴越和百越族群在此期間也很活躍，相繼出現了頗爲繁榮的吴越文化和百越文化，而西南的巴蜀等古國這時也比較頻繁地出現在歷史舞臺上，巴蜀文化展現出了四川盆地青銅文化系統的最後榮光。這種文化背景反映在青銅器上，就是製銅工藝的創新和提高，器物風格清新多變，區域特色更加明顯，銅器製造業以嶄新的面貌出現于世。河南新鄭銅器、淅川縣下寺楚墓銅器、安徽壽縣蔡侯墓銅器群、山西太原金勝村銅器群、湖北隨州市曾侯乙墓銅器群等[67]，基本上反映了這時期青銅冶鑄工藝的輝煌。這時期的鑄造技術由先前比較單一的範鑄法發展成爲以範鑄法爲主，并輔之以失蠟法的新興工藝。傳統的範鑄法達到了登峰造極的發展，除了製模翻範技術和模範材料的使用上更加講究外，還運用了分模法和一模多範等新工藝；傳統嵌範法、分鑄法的運用更加廣泛，并發明和推廣了焊接法等新方法。長期習慣于使用範鑄法工匠們在這一時期終于開始采用失蠟法鑄造的新技術，鑄造出了有鏤空透雕裝飾效果的極度繁複精細的銅器。銅器的裝飾工藝也不僅僅是單一的鑄紋，還有刻紋刻字、鑲嵌玉石、銅金嵌錯等新的裝飾工藝，這些新技術和新工藝將這時期的銅器裝點得分外美觀，多彩多姿。傳統禮器在青銅器中的地位不斷下降，新的器類不斷産生并不斷發生變化，盆（盞）、敦、豆、鈉、錍、鈚、缶等新器類相繼出現或流行。器物造型日益富有變化，産生了像新鄭蓮鶴方壺、曾侯乙銅尊盤和方鑑、南窑莊重金絡壺等大量造型新穎别致的銅器作品。紋飾内容和形式也不斷創新，使得這時期銅器風格擺脱了商代及西周前期銅器的神秘和狰獰，西周後期及春秋早期銅器的單調和粗放。退化和細化了的神話動物紋樣（蟠虺、蟠螭、散虺等），生動的社會生活紋樣，多變的幾何紋樣，以及布局呈圖案化的寫實的動物紋樣等，這些，連同具有裝飾效果的銅器銘文，將銅器妝點得分外美麗。

縱觀中國青銅時代銅器藝術發展的歷程，可以看出這樣一些現象：一是銅器的總體風格從簡單輕薄到渾厚凝重，再從渾厚凝重變得複雜玲瓏和輕盈素净；二是作爲禮儀用器的容器種類由簡單寥寥數種，再到複雜多樣和形態多變，最後却又逐漸減少爲兩種主要器類（鼎和壺）；三是青銅器的造型普遍從體態瘦高變得體態低矮，由頭重脚輕變得根基穩重；四是裝飾主題由相對形象的狰獰的動物紋樣變爲比較抽象的圖案化了的動物紋樣和幾何紋樣，紋樣的含義由明確到模糊，裝飾意味越來越濃；五是紋飾的構成由簡單的陰陽綫條，到由細綫條的地紋加略爲凸起的主紋，再到寬平綫條構成的主紋，最後到主次紋不分的極其繁複的浮雕甚至透雕狀紋樣。這些現象集中反映了中國銅器藝術發展的基本脉絡。

（二）中國鐵器時代的銅器藝術

這個發展時期相當于戰國後期至明清時期，絶對年代約公元前350–1900年。中國銅器藝術經歷了1500多年的發展，即使在中國社會進入鐵器時代以後，銅器也仍然是當時器物中的大類，并没有退出歷史舞臺，漢代銅器的多彩多姿，唐代銅鏡的雍容華貴，宋代以後仿古銅器的典雅古樸，都説明了這一時期銅器仍然是中國青銅藝術的重要組成部分。因此，我們將中國青銅藝術的發展歷程劃分爲三個大的發展時期：

1.轉化時期的中國銅器藝術

戰國後期至三國時期（絶對年代約公元前350–250年）。這時期銅器製造業在經歷了兩千多年發展演變進程以後，即將走過了戰國中晚期開始的回光返照的餘暉，銅器在人們的日常生活中的地位在不斷降低。另一方面，統一的趨勢和强大秦漢帝國的建立，縱横北方廣闊草原地區的匈奴王國的崛起，以及南方地區青銅文化的高度發展，又給這時期銅器帶來了若干新的氣象。這時期的具有代表性的銅器群有河南洛陽金村銅器群、河北平山中山王墓銅器群、湖北包山楚墓銅器群、安徽壽縣朱家集銅器群、廣州象崗南越王墓銅器群、河北滿城劉勝夫婦墓銅器群等[68]。這時期銅器製造技術仍在緩慢發展。在鑄造工藝方面，其突出成就一是“叠鑄法”的發明和推廣，二是“失蠟法”的使用範圍擴大。在銅器成形工藝方面，這一時期逐漸推廣了鉚接成形工藝，大型的和較複雜的銅器一般都分鑄爲若干段，然後將各段套接在一起，用鉚釘固定起來鉚接成形。在銅器裝飾工藝方面，這一時期推廣和發展了鎏金工藝。鎏金又稱“燒金”或“火鍍”，它是將純金熔融後加入水銀（汞Hg）混合製成金汞劑（又稱“金泥”），把金泥塗在需要鎏金的器物上，汞遇熱蒸發後，金即留存于器表，使青銅器如同金光閃閃的黄金器皿。這種工藝不僅在中原地區銅器中廣泛使用外，在南方的石寨山文化銅器和南越文化銅器中也都有發現。從戰國中晚期起，中國銅器風格就開始發生了重要的變化，新的鑄造工藝、新的器類組合和新的裝飾手法製成的銅器逐漸成爲了銅器的主流，使得這時期銅器具有鮮明的時代特徵。銅器按用途大致可以分爲飲食用器、起居用具、作戰武器、輿服用具、娱樂用器、度量衡器、迷信用品等種類。飲食用器有少量的帶有周文化傳統的銅禮器，如銅鼎、甗、盛、壺等，更多的新流行的日用銅器，如竈、染爐、鐎盉、鐎斗、盆、樽、鋞、鈷鏤、鉀、卮、杯、魁、斗、案等。起居用具包括照容的銅鏡、照明的銅燈、燃香的銅熏爐、裝硯的銅硯盒、壓席的銅鎮等。作戰武器雖然已經絶大多數爲鋼鐵製品，但像戈、戟、鈹、鎩、劍、刀、鏃、弩輒、弩機等，仍有部分爲銅製。輿服用具包括了實用的銅製的車馬器和帶具（帶鈎、帶頭、帶扣、帶銙），以及作爲儀仗的車、馬、俑等模型。娱樂用器包括了傳統的銅樂器，如鐘、鐸、鈴等，也有新出現的銅律管、博具、玩具等。度量衡器是秦漢銅器的重要類型，其數量之多，系列之全，其它時代罕與倫比。銅度器有銅丈、銅尺和僅見的銅卡尺，銅量器有銅斛、銅斗、銅升、銅合、銅龠、銅撮和銅分，銅衡器有銅衡、銅累和銅權，此外還有中央王朝爲了統一計量器而頒發的銅製詔書。迷信用品則有銅製摇錢樹、銅式盤、銅圭表和獨角銅獸等。此外還有符節、帶鈎、璽印等。這時期銅器的裝飾有兩種明顯不同的風格：一種是以金銀錯、鑲嵌、鎏金、漆繪、刻鏤等裝飾工藝在銅器表面創造出類似于彩繪的生活畫面和各種圖案，使銅器色彩艷麗，好似金器或漆器；另一種是器表不施任何花紋，僅以造型和光素的外表取勝。銅器花紋主要有三大類，其一以流暢旋轉的雲水紋爲構圖的主體，在雲或水之間的間隙處填以神怪、仙人、禽獸等，其二以富于動態的人物和動物的畫像作爲構圖的主體，在周圍點綴山巒、雲氣等，其三是以幾何紋爲構圖的主體，如鋸齒、斜格、波帶、旋帶等，其中尤以前兩種紋樣最具時代和文化氣息。漢畫這一在磚、石等載體上表現得最爲突出的藝術形式，在銅器上也得到了很好的體現。

2.衰落時期的中國銅器藝術

西晋至五代十國，絶對年代爲公元250-900年。東漢晚期以後，政治動蕩，戰亂頻繁，從三國鼎立局面形成一直到隋代，除了西晋短暫的統一外，中國出現了長達三百餘年的分裂局面。北方古族在這期間紛紛進入中原，在原先的秦漢王朝的腹地建立了多個國家政權，北方古族的南下和國家之間的戰争，一方面導致了大規模的人群遷徙和空前的族群融合，另一方面也使社會經濟遭到極大的破壞，銅器製造業同社會其它産業一樣也受到很大的影響，整個行業處在一種停滯、衰退的狀態。在這種歷史背景下，各地區的文化面貌上的差异也進一步縮小。中國銅器製造業的重心繼續向錢幣傾斜，銅製器具除銅鏡外，數量不斷減少，製作日益簡易，銅器更加呈現出衰敗的景象。造成這種結果的原因主要有四個：一是鋼鐵冶鑄技術在西漢後期以後取得了突破性的進展，先前還不能滿足社會對鐵器性能要求的柔軟熟鐵和脆硬生鐵，這時期已逐漸爲剛柔兼備的鋼鐵所取代。原先還需用銅來製造的某些兵器和用具，普遍改用鋼鐵來製造。二是瓷器在兩晋南北朝獲得了巨大發展，已經脱離了原始瓷器的階段，這些精美的瓷器逐漸成爲日常生活的主要器皿，銅器在這一領域的地位進一步下降。三是中國金銀器製作工藝經過秦漢時期的發展，已經基本擺脱了中國傳統青銅製作工藝的影響，逐漸成爲統治階級高級器具的主體，原先金銀錯、鎏金等工藝的高等級銅器已不如秦漢時期顯要。四是爲了滿足鑄幣對銅料的需求和保證經濟的穩定，這時期有的王朝開始限制銅器製作，如唐王朝“禁賣銅錫及造銅器”（《新唐書・食貨志》），從而使得這個時期的日用銅器日漸減少。除了以上幾個主要原因外，鐵器時代銅器的最大産品門類銅鏡在這個時期也處于停頓狀態，以及隨着佛教在這個時期的廣泛傳播，相當一部分銅材被用作鑄造佛像，這些也在一定程度上影響到了這一時期銅器生産的發展。南北朝至唐五代十國時期佛教盛行，銅鑄佛像及寺廟建築飾件很多，大的銅佛像和銅構件如北魏永寧寺塔高十丈塔刹上的可容二十五石的金寶瓶及其下三十重的“承露金盤”都是鎏金銅件，小的鎏金銅造像傳世及出土的都不少，有的造型和細部刻劃均極其複雜，如北魏神龜元年（公元518年）邽夏□造交脚彌勒騎鳥像、正光三年（公元522年）魏氏造釋迦佛像等。要鑄製這樣的銅像和銅件，需要很高的鑄銅技術和采用失臘法鑄銅工藝，從而使失臘法在這時期得到了更加廣泛的運用。銅器基本上都爲素面，風格樸素，用途以日常生活用器爲主，另有一些建築、帷帳和馬具飾件。兵器和工具較少見到，這是西漢以後鐵器在這些領域内全面取代銅器的歷史狀況的反映。銅器種類有爐、鐺、鍋、釜、釜鑊、甗（釜甑）、鐎禾、鐎斗、熨斗、碗、杯、盞、盤、尊、瓶、唾壺、盆、鋗、盛、魁、勺、虎子、熏、燈、鏡、鎮、印章、弩機和其他銅飾件等。在這些銅器中，鐺、釜、鐎斗、熨斗、行爐、杯、瓶、唾壺等類，都是沿用時間長、使用範圍廣、具有時代特徵的常見器類。這個時期後期的隋唐時期，銅鏡製造業一改魏晋南北朝時的停滯守舊的面貌，呈現出了厚重而雍容華貴的新風尚。隋唐銅鏡除了運用傳統的鎏金、錯金、鑲料（石）工藝外，還使用了平脱、螺鈿的漆器製造工藝，貼銀等金銀器製造工藝，并在銅鏡裝飾題材、紋樣種類等方面都進行了創新，從而在銅鏡發展史上形成了另一個發展高峰。

3.復古時期的中國銅器藝術

宋代至清代，大致相當于公元900-1900年中國封建社會後期以銅爲主要材質的器具。宋王朝的建立結束了唐末五代十國以來的動蕩局面，人民的生活相對安定，加上宋王朝所制定的一系列放鬆對民間手工業和商業限制的政策，使得宋代以後的手工業和商業較之以前有了長足的進展，科學技術發展到了一個巔峰階段。在這個時期，銅器製作雖然祇是手工業生産的一個次要門類，生産和交换規模遠不及陶瓷業，但由于銅器在當時人們的生産和生活中具有的特殊作用，使得這一時期銅器製造業并没有停滯不前。宋至清代在銅礦冶煉技術上創造了膽銅法和黄銅冶煉法，擴大了白銅生産規模，鑄造出了許多莊嚴的大型銅像和精美的仿古銅器，并引進和發展了銅胎珐琅器；這些，使得宋至清代的銅器在日薄西山的發展總趨勢中也不時閃耀着一些絢麗的霞光。

宋代是金石學興起的時代，上至皇帝，下至一般官吏均熱衷于收藏商周青銅器，其中尤以宫廷内府收藏最爲豐富。爲了宗廟禮儀的需要，宋王朝曾多次仿照當時内府所藏銅器鑄造銅禮器和樂器。清代尚存于内府的宋徽宗大晟編鐘、現存北京故宫博物院的宣和山尊都是宋代皇家的仿古銅器。北宋開始的復古風氣爲當時民間所效仿，也爲以後歷代所繼承。元代承襲趙宋遺風，元成宗時曾設出蠟局以爲各地廟宇祭祀需要提供仿古祭器。現藏北京故宫博物院的有元成宗“至大”年號的仿西周的銅盨，應當就是當時出臘局的仿古製品。明代諸帝王大多好古，至明宣宗朱瞻基時發展至一個高峰。據《宣德鼎彝譜》記載，宣德三年（公元1428年），皇帝下令工部用精銅鑄造宫廷、宗廟、蕃府等所用的禮器，“款式巨細，悉仿《宣和博古圖録》及《考古》諸書，并内府所藏柴、汝、官、哥、定各窑器皿款式典雅者”。這些仿古銅器的數量多達三千三百餘件。清代坊間通常是僞造古器，但清宫仍繼續製造仿古銅器，仿古銅器的特徵與明代相似，但仿古之風已不及明代興盛。北京故宫所藏的燕螺紋銅壺、出戟大尊等，都是清代仿古銅器的代表作。

注釋：

① 在現代金屬材料學中，銅、錫合金被稱之爲錫青銅（錫的含量超過2%，其它金屬含量低于2%），銅、鉛合金被稱之爲鉛青銅（鉛的含量高于2%，其它金屬低于2%），銅、錫、鉛的合金則被稱之爲錫鉛青銅或鉛錫青銅（錫、鉛含量均高于2%，其它金屬元素低于2%）。

② 自上個世紀前期的殷墟發掘開始後，學術界的主流意見都認爲中國冶銅技術是從西方傳來，如羅越（Max Loehr）就認爲，商代的青銅冶鑄技術出現突然，缺乏初期的演進階段，冶銅技術不大可能從本地發生（Max loehr: Weapons and tools from Anyang and Siberian analogies, American Journal of Archaeology, 53（1949）:126–144）。在上個世紀末期，雖然本土起源説逐漸占據了主導地位，但持外來説者仍然不斷提出新的證據，外來説目前還難以排除。參看安志敏：《試論中國的早期銅器》，《考古》1993年12期，1117頁；林沄：《早期北方系青銅器的幾個年代問題》，《林沄學術論集》，中國大百科全書出版社，1998年，289–295頁。

③ 參看K.C.Chang, The Archaeology of Ancient China, New Haven,1968,P239；N. Barnard, Origins of Bronze Casting in Ancient China, N.Barnard & Sato Tamotsu, Metallurgical Remains of Ancient China, Nichiosha, Tokyo, 1975, pp12–16；華覺民：《論中國冶金術的起源》，自然科學史研究，1991年，10卷4期，369頁；蘇榮譽：《中國上古金屬技術》，山東科學技術出版社，1995年，4–51頁。

④ 韓汝玢、柯俊：《姜寨第一期文化出土黄銅製品的鑒定報告》，半坡博物館、陝西省考古研究所、臨潼縣博物館《姜寨——新石器時代遺址發掘報告》，544–548頁，文物出版社，1988年。

⑤ 甘肅省文物工作隊等：《甘肅東鄉林家遺址發掘報告》，《考古學集刊》4，科學出版社，1984年。

⑥ 同注④韓汝玢等，1988年。

⑦ 這些出土銅器是：甘肅永登縣蔣家坪遺址銅刀、内蒙古伊金霍洛旗朱開溝遺址銅錐、準格爾旗二里半遺址銅環、山西襄汾縣陶寺遺址銅鈴形器、河南鄭州市董砦方銅片、登封市王城崗銅容器殘片、山東膠州市三里河銅錐、栖霞縣楊家圈殘銅錐、諸城縣呈子銅片、長山縣店子銅片、安徽含山大城墩銅刀等。

⑧ A.北京鋼鐵學院冶金史組：《中國早期銅器的初步研究》，見《考古學報》1981年第3期，第287–302頁；B.安志敏：《中國早期銅器的幾個問題》，《考古學報》1981年第3期，第269–286頁；C.嚴文明：《論中國的銅石并用時代》，《史前研究》1984年第1期，第36–44頁；D.李先登：《試論中國古代青銅器的起源》，《史學月刊》1984年第1期，1–8頁。

⑨ 清人編寫的《西清古鑒》（卷三十二）中著録有一件“周子孫匜”，此器造型是典型的山東龍山文化時期的陶鬶樣式，器上却有商代晚期和西周早期常見的被釋作“天黿”的族名銘文。有學者認爲，這件銅鬶“絶非贋品，因爲清朝或清朝以前的古人决不可能鑄造一件他不知道的器物。正因爲這件銅器的存在，我們似乎不能輕易否認大汶口文化晚期到山東龍山文化早期已進入銅器時代的可能性”（鄒衡：《試論夏文化》，鄒衡《夏商周考古學論文集》，北京，文物出版

社，1980年，150頁）。筆者以爲，《西清古鑒》著録的“周子孫匜”器物本身與器上銘文一樣，都是宋代以後人的仿古僞作。仿作者雖然没有現成的大汶口文化銅器可以模仿，却可以仿照大汶口文化陶鬶的樣式來製作。因作爲仿作對象的陶器不可能有銘文，爲了提高這件仿古作品的價值，仿作者又模仿商周之際銅器的族名文字鑄造了銘文。屬于仰韶時代的大汶口文化，還没有發現過銅器，這件仿古銅鬶的造型相當複雜，鑄造工藝也相當高明，完全超越了大汶口文化的技術發展水平。

⑩ 中國社會科學院考古研究所：《偃師二里頭》，第240頁，北京，中國大百科全書出版社，1999年；李敏生：《先秦用鉛的歷史概況》，《文物》1984年第10期。

⑪ 比較新的二里頭文化銅器成分測定數據表見中國社會科學院考古研究所編著：《中國考古學・夏商卷》第114頁表2–4，北京，中國社會科學出版社，2003年。

⑫ A.齊亞珍、劉素華：《錦縣水手營子早期青銅時代墓葬及銅柄戈》，《遼海文物學刊》1991年第1期，第102–103頁；B.《西藏曲貢遺址發掘有新發現》，《西藏日報》1991年9月27日第1版。

⑬ 考古研究所洛陽發掘隊：《1958年洛陽東干溝遺址發掘簡報》，《考古》1959年第10期。

⑭ 趙春青：《新砦期的確認及其意義》，《中原文物》2000年第1期。

⑮ 北京大學考古學系等：《駐馬店楊莊》，科學出版社，1998年。

⑯ 河南省文物考古研究所等：《登封王城崗與陽城》，文物出版社，1992年。

⑰ 中國社會科學院考古研究所等：《夏縣東下馮》，文物出版社，1988年。

⑱ [宋]王黼：《宣和重修博古圖・總論》，上海古籍出版社影印《四庫藝術叢書》本。

⑲ A.中國社會科學院考古研究所二里頭工作隊：《1981年河南偃師二里頭墓葬發掘簡報》，《考古》1984年第1期，第37–40頁，圖版四：1；B.中國社會科學院考古研究所二里頭工作隊：《偃師二里頭遺址新發現的銅器和玉器》，《考古》1976年第4期，第259–263頁，圖五。

⑳ 同注⑧李水城，2005年。

㉑ 同注⑧李水城，2005年。

㉒ 朱訓主編：《中國礦情：金屬礦藏》，第182–190頁，科學出版社，1999年。

㉓ 佟偉華：《商代前期垣曲盆地的統治中心——垣曲商城》，《中國歷史博物館館刊》1998年第1期。

㉔ 朱訓主編：《中國礦情：金屬礦藏》，第385–388頁，科學出版社，1999年。

㉕ 參看北京鋼鐵學院中國冶金史編寫小組：《中國冶金簡史》，北京，科學出版社，1978年。

㉖ 參看注②書。

㉗ [德]雷德侯著、張總等譯：《萬物——中國藝術中的模件化和規模化生產》，第38頁，三聯書店，2005年。

㉘ 中國社會科學院考古研究所編著：《殷墟的發現與研究》，109頁，科學出版社，1994年。

㉙ 湖北省博物館：《曾侯乙墓》，文物出版社，1989年。

㉚ 前一引文見《左傳・宣公三年》，後一引文見《禮記・明堂位》，均爲中華書局影印世界書局《十三經注疏》縮印本。

㉛ “饕餮”一名見于《吕氏春秋·先識覽》：“周鼎鑄饕餮，有首無身，食人未咽，害及其身，言報更也。”“肥遺”見于《山海經·北山經》：“有蛇一首兩身，名曰肥遺，見則其國大旱。”（《山海經·西山經》中有鳥也名“肥遺”。）“竊曲”見《吕氏春秋·離俗覽》：“周鼎有竊曲，狀甚長，上下皆曲，以見極之敗也。”均見上海古籍出版社縮印浙江書局《二十二子》彙刻本。

㉜ 前者見李學勤：《楚王酓審盞及有關問題》，《中國文物報》1990年5月31日；後者見河南省文物研究所：《淅川下寺楚墓》，北京，文物出版社，1991年。

㉝ 林沄：《説“王”》。見《考古》1965年第6期，第311–312頁。

㉞ 在商文化青銅禮器中，爵、觚兩種酒器（或以角代爵如殷墟郭家莊160號墓）數量的多寡，與持有者的身份等級有密切的關係。從最低級的一觚一爵起，以上依次爲二觚二爵、三觚三爵、五觚五爵和十觚十爵諸等級。其中出十觚十爵的是商王武丁的一位夫人的墓葬即殷墟婦好墓，該墓的形制和規模在商文化墓葬中衹屬中型墓，如果有未經盗擾的更高級别的大型墓發現，其銅觚和爵的數量一定更多。周文化的青銅禮器組合以鼎和簋爲主體，鼎用單數，簋用雙數，組合成爲一鼎無簋、或一鼎一簋、三鼎二簋、五鼎四簋、七鼎六簋、九鼎八簋等形式，使之成爲銅禮器的構成核心。根據周代禮書記述，可以知道，周文化銅禮器至少分爲五等：第一等爲周天子，其禮器規格爲大牢九鼎配八簋；第二等爲卿大夫及相應諸侯，其禮器規格爲大牢七鼎配六簋；第三等爲大夫及相應諸侯，其禮器規格爲少牢五鼎配四簋；第四等爲士及相應貴族，其禮器規格爲牲三鼎配二簋；此外還有低級貴族采用特一鼎配二簋或一鼎配一簋的。關于商文化青銅禮器的組合，可參看楊錫璋、楊寶成：《殷代青銅禮器的分期與組合》。見《殷墟青銅器》，北京，文物出版社，1985年，第79–102頁。

㉟ 三星堆文化是一個青銅技術運用并不普遍的文化，在三星堆文化的中心遺址四川廣漢市三星堆古城中，除了年代大約在公元前1300–1200年間的兩個晚期器物坑内埋藏着大量青銅器外，遺址其餘地方極少發現青銅器，三星堆文化分布區的其他遺址也罕有青銅器的出土。不過，雖然包括青銅造像在内的青銅器衹發現于三星堆文化晚期，但一種宗教信仰總是有根深蒂固的傳統的。三星堆器物坑中那些神像和人像等，主要還是以木料爲主體，以青銅爲最重要的頭部或臉面的裝飾。我因而推測，三星堆文化自形成以來就有造像的傳統，衹是這種傳統因爲没有可以耐久保存材料製作的作品，因而不爲我們所知罷了。

㊱ 四川省考古研究所等：《三星堆祭祀坑》，北京，文物出版社，1999年。

㊲ 《史記·秦始皇本紀》：“（始皇）收天下兵，聚之咸陽，銷以爲鐘鐻，金人十二，重各千石。置廷宫中。”《正義》曰：《漢書·五行志》云：“二十六年，有大人長五丈，足履六尺，皆夷狄服，凡十二人，見于臨洮，故銷兵器，鑄而象之。”

㊳ [北魏]酈道元：《水經·河水注四》：“按秦始皇二十六年，長狄十二見于臨洮，長五丈餘，以爲善祥，鑄金人十二以象之，各重二十四萬斤，坐之宫門之前，謂之金狄。……漢自阿房徙之未央宫前，俗謂之翁仲矣。”

㊴ 《三輔黄圖》卷之二：“古歌云：‘長安城西有雙闕，上有雙銅雀；一鳴五穀生，再鳴五穀熟。’按銅雀，即銅鳳凰也。”。

㊵《水經注・濁漳水》卷十："魏武又以郡國之舊，引漳流自城西東入，逕銅雀臺下，伏流入城東注，謂之長明溝也。渠水又南逕止車門下，魏武封于鄴，爲北宮，宮有文昌殿。溝水南北夾道，枝流引灌，所在通溉，東出石竇下，注之洹水，故魏武《登臺賦》曰'引長明，灌街里。'謂此渠也。石氏于文昌故殿處，造東、西太武二殿，于濟北谷城之山采文石爲基，一基下五百武直宿衛。屈柱趺瓦，悉鑄銅爲之，金漆圖飾焉。又徙長安、洛陽銅人，置諸宮前，以華國也。城之西北有三臺，皆因城爲之基，巍然崇舉，其高若山，建安十五年魏武所起，平坦略盡。……中曰銅雀臺，高十丈，有屋百餘間……石虎更增二丈，立一屋，連棟接榱，彌覆其上，盤迴隔之，名曰命子窟。又于臺上起五層樓，高十五丈，去地二十七丈，又作銅雀于樓巔，舒翼若飛。"

㊶《晉書・石勒載記下》："勒徙洛陽銅馬、翁仲二于襄國，列之永豐門。"

㊷《晉書・石季龍載記上》："咸康二年，（石季龍）使名牙門將張彌徙洛陽鐘虡、九龍、翁仲、銅駝、飛廉于鄴。"

㊸《晉書・赫連勃勃載記》："（赫連勃勃）復鑄銅爲大鼓、飛廉、翁仲、銅駝、龍獸之屬，皆以黄金飾之，列于宮殿之前。"

㊹ 宿白：《四川錢樹和長江中下游部分器物上的佛像——中國南方發現的早期佛像札記》，《文物》2004年第10期，第61–71頁。

㊺ [北魏]楊衒之撰、范祥雍校注：《洛陽伽藍記校注》卷第一，上海古籍出版社，1978年。

㊻《梁書・諸夷列傳》。

㊼《晉書・恭帝紀》："帝幼時性頗忍急，及在藩國，曾令善射者射馬爲戲。既而有人云：'馬者國姓，而自殺之，不祥之甚。'帝亦悟，甚悔之。其後復深信浮屠道，鑄貨千萬，造丈六金像，親于瓦官寺迎之，步從十許里。"《宋書・隱逸列傳・戴顒》："自漢世始有佛像，形制未工，逵特善其事，顒亦參焉。宋世子鑄丈六銅像于瓦官寺，既成，面恨瘦，工人不能治，乃迎顒看之。顒曰：'非面瘦，乃臂胛肥耳。'既錯减臂胛，瘦患即除，無不嘆服焉。"

㊽《宋書・夷蠻列傳》："佛道自後漢明帝，法始東流，自此以來，其教稍廣，自帝王至于民庶，莫不歸心，經誥充積，訓義深遠，别爲一家之學焉。元嘉十二年，丹陽尹蕭摹之奏曰：'佛化被于中國，已歷四代，形像塔寺，所在千數，進可以繫心，退足以招勸。而自頃以來，情競浮末，不以精誠爲至，更以奢競爲重。舊宇頹弛，曾莫之修，而各務造新，以相姱尚。甲第顯宅，于兹殆盡，材竹銅彩，糜損無極，無關神祇，有累人事。建中越制，宜加裁檢，不爲之防，流道未息。請自今以後，有欲鑄銅像者，悉詣臺自聞，興造塔寺精舍，皆先詣在所二千石通辭，郡依事列言本州，須許報，然後就功。其有輒造寺舍者，皆依不承用詔書律，銅宅林苑，悉没入官。'詔可。"

㊾ 商人族源傳説最早見《詩經・商頌・玄鳥》，周人的族源傳説最早見《詩經・大雅・生民》，均見中華書局影印世界書局《十三經注疏》縮印本。

㊿《詩・大雅・文王》，中華書局影印世界書局《十三經注疏》縮印本。

51 參看金景芳：《論禮制與法制》，見金景芳《古史論集》，濟南，齊魯書社，1981年，第156–168頁。

(52) 高緯：《龍山時代的禮制》，見《慶祝蘇秉琦考古五十五年論文集》，北京，文物出版社，1989年，第235-244頁。

(53) [宋]陳皓：《禮記集説》卷五《禮器第十》篇名注，世界書局據清武英殿本影印。

(54) 按照青銅器的形態進行分類的以李濟對河南安陽殷墟的青銅器的分類最爲清晰，他將殷墟銅器劃分爲圜底、平底、圈足、三足、四足、蓋形六目，每目下又按器物的立體形態分爲斗形、鍋形、曇形、盤形……等類。參看李濟：《記小屯出土之青銅器》，《中國考古學報》第三册。

(55) 四川省考古研究所等：《三星堆祭祀坑》，北京，文物出版社，1999年。

(56) 河北省文物研究所：《燕下都》，北京，文物出版社，1996年，第733頁。

(57) A.中國社會科學院考古研究所：《殷墟婦好墓》，文物出版社，1980年，第111頁；B.北京市文物研究所：《琉璃河西周燕國墓地》，北京，文物出版社，1995年，第216-219頁。

(58) 孫機：《中國古代的革帶》，見孫機《中國古輿服論叢》，北京，文物出版社，1993年，第204-230頁。

(59) 郭沫若對中國古代青銅器的分期在後來的《青銅器時代》一文（見郭沫若《青銅時代》，北京，科學出版社，1957年）中又有小的改變，新的分期取消了原來最早的濫觴期，在原先最後一期後又增加了衰落期（戰國末葉以後），另將原勃古期改名爲鼎盛期，開放期改名爲頽敗期，新式期改名爲中興期。

(60) 郭沫若：《兩周金文辭大系圖録・圖編》序，東京，文求堂，1934年。

(61) 郭寶鈞：《商周銅器群綜合研究》，北京，文物出版社，1981年。

(62) 杜迺松：《中國青銅器發展史》，紫禁城出版社，1995年。

(63) 中國社會科學院考古研究所編著：《偃師二里頭（1959-1978年考古發掘報告）》，北京，中國大百科全書出版社，1999年。

(64) 鄭州銅器的材料集中收録于安金槐《對鄭州商代二里岡青銅容器分期的初步探討》（《中原文物》1992年第3期，第7-36頁）一文中。盤龍城銅器的情况主要見《1963年湖北黄陂盤龍商代遺址的發掘》（《文物》1976年第1期，49-59頁）和《盤龍城商代二里岡期的青銅器》（《文物》1976年第2期，第26-41頁）兩篇文章。三星堆銅器的材料見于《廣漢三星堆遺址一號祭祀坑發掘簡報》（《文物》1987年第10期，第1-15頁）和《廣漢三星堆遺址二號祭祀坑發掘簡報》（《文物》1989年第5期，第1-20頁）。大洋洲銅器的全面情况見于江西省文物考古研究所等《新干商代大墓》（北京，文物出版社，1997年）一書。

(65) 殷墟銅器的情况比較集中地見于中國社會科學院考古研究所編著《殷墟青銅器》（北京，文物出版社，1985年）和《殷墟的發現與研究》（北京，科學出版社，1994年）二書。喀左銅器的材料未見集中的報導，許玉林《遼寧商周時期的青銅文化》（《考古學文化論集》第3輯，北京，文物出版社，第311-334頁）一文“遼西地區發現的商周銅青器”商周窖藏銅器部分可以作爲索引。寧鄉銅器的材料報導也較分散，其基本情况可以參看高至喜《論中國南方出土的商代青銅器》（《中國考古學會第七次年會論文集》，北京，文物出版社，1992年，76-88頁）的湖南部分。寶鷄漁國銅器的材料已經收録至盧連成、胡智生《寶鷄漁國墓地》（北京，文物出版社，1988年）一書。

⑥⑥ 周原銅器可參看曹瑋《周原西周銅器的分期》（《考古學研究（二）》，北京大學出版社，1994年，144–165頁）一文。山西曲沃北趙晋侯墓地銅器的材料分别見：A北京大學考古系等：《1992年春天馬–曲村遺址墓葬發掘報告》，《文物》1993年第3期，第11–30頁；B.北京大學考古系等：《天馬–曲村遺址北趙晋侯墓地第二次發掘》，《文物》1994年第1期，第4–34頁；C.山西省文物考古研究所等：《天馬–曲村遺址北趙晋侯墓地第三次發掘》，《文物》1994年第8期，第22–33頁；D.山西省考古研究所等：《天馬–曲村遺址北趙晋侯墓地第四次發掘》，《文物》1994年第8期，第4–21頁；E.北京大學考古學系等：《天馬–曲村遺址北趙晋侯墓地第五次發掘》，《文物》1995年第7期，第4–39頁。上村嶺虢國墓地銅器分别見中國科學院考古研究所《上村嶺虢國墓地》（北京，科學出版社，1959年）一書和河南省文物研究所等《三門峽上村嶺虢國墓地M2001發掘簡報》（《華夏考古》1992年第3期，第104–113頁）、《上村嶺虢國墓地M2006的清理》（《文物》1995年第1期，第4–31頁）兩篇簡報。

⑥⑦ 新鄭銅器群的材料見孫海波《新鄭彝器》（河南通志館影印本，1937年）和關葆謙《鄭冢古器圖考》（中華書局石印本，1940年）二書。下寺楚墓銅器見河南省文物研究所等《淅川下寺楚墓》，北京，文物出版社，1991年。蔡侯墓銅器群見安徽文物管理委員會等《壽縣蔡侯墓出土遺物》，北京，科學出版社，1956年。金勝村銅器群見山西省考古研究所等《太原晋國趙卿墓》，北京，文物出版社，1996年。曾侯乙墓銅器群見湖北省博物館《曾侯乙墓》，北京，文物出版社，1989年。

⑥⑧ 金村銅器群非考古發掘出土，青銅器出土後又流出海外，其基本情况可參看（日）梅原末治《洛陽金村古墓聚英》，京都小林出版部，1943年。中山王厝墓銅器群見河北省文物研究所《厝墓——戰國中山國國王之墓》，北京，文物出版社，1996年。包山楚墓銅器群見湖北省荆沙鐵路考古隊《包山楚墓》，北京，文物出版社，1991年。朱家集銅器群也爲盗掘出土，李零《論東周時期楚國典型銅器群》（《古文字研究》十九集，北京，中華書局，1992年）和曹淑琴、殷瑋璋《壽縣朱家集銅器群研究》（《考古學文化論集（一）》，文物出版社，1987年）兩篇文章對其進行了較全面的整理和研究。象崗南越王墓銅器群見廣州市文物管理委員會等《西漢南越王墓》，文物出版社，1991年。劉勝夫婦墓銅器群見中國社會科學院考古研究所等《滿城漢墓發掘報告》，北京，文物出版社，1980年。

目　　録

新石器時代至夏（公元前八〇〇〇年至公元前十六世紀）

商（公元前十六世紀至公元前十一世紀）

頁碼	名稱	時代	發現地	收藏地
12	獸面紋大鼎	商	山西平陸縣崖底村前莊	山西省考古研究所
13	獸面紋大鼎	商	湖北武漢市黄陂區盤龍城遺址	湖北省博物館
13	弦紋鼎	商	河南鄭州市白家莊	河南省鄭州市博物館
14	雲紋鼎	商		上海博物館
14	獸面紋鼎	商	河南輝縣市	河南省新鄉市博物館
15	夔紋鼎	商	陝西銅川市三里洞	陝西歷史博物館
15	獸面紋鼎	商	河南安陽市殷墟小屯232號墓	臺灣“中央研究院歷史語言研究所”
16	獸面紋錐足鼎	商	北京平谷區劉家河	北京市文物研究所
16	獸面紋鼎	商	山西忻州市忻府區連寺溝	山西博物院
17	獸面紋錐足鼎	商	山西長子縣北高廟村	山西省長子縣博物館
17	波狀紋錐足鼎	商	河南輝縣市褚邱鄉	河南省新鄉市博物館
18	獸面紋獸足鼎	商	遼寧喀喇沁左翼蒙古族自治縣小波汰溝村	遼寧省博物館
19	亞弜鼎	商	河南安陽市殷墟婦好墓	中國國家博物館
19	獸面紋柱足鼎	商		故宮博物院
20	婦好鼎	商	河南安陽市殷墟婦好墓	中國社會科學院考古研究所
20	婦好鼎	商	河南安陽市殷墟婦好墓	中國社會科學院考古研究所
21	獸面紋柱足鼎	商	河南安陽市殷墟婦好墓	中國社會科學院考古研究所
21	射女鼎	商	傳河南安陽市	上海博物館
22	渦紋柱足鼎	商	河南安陽市殷墟小屯18號墓	中國社會科學院考古研究所
22	戈鼎	商		上海博物館
23	皿鼎	商	傳河南安陽市	上海博物館
23	獸面紋柱足鼎	商	河南羅山縣蟒張鄉息國墓地	河南省信陽市文物管理委員會
24	亞舟鼎	商	傳河南安陽市	美國華盛頓弗利爾美術館
24	彧鼎	商		故宮博物院
25	爰鼎	商	河南安陽市戚家莊269號墓	河南省安陽市文物工作隊
25	獸面紋鼎	商	河南安陽市大司空663號墓	中國社會科學院考古研究所
26	共鼎	商	河南安陽市孝民屯907號墓	中國社會科學院考古研究所
26	劉鼎	商	傳河南安陽市	上海博物館
27	鳶鼎	商	傳河南安陽市	美國哈佛大學福格美術館

頁碼	名稱	時代	發現地	收藏地
45	獸面紋扁足鼎	商	河南安陽市殷墟小屯333號墓	臺灣“中央研究院歷史語言研究所”
45	獸面紋扁足鼎	商	河南漯河市郾城區攔河潘	河南省漯河市郾城區許慎紀念館
46	正鼎	商		故宫博物院
47	斜角雲紋扁足鼎	商	河南安陽市殷墟小屯18號墓	中國社會科學院考古研究所
47	婦好鳥足鼎	商	河南安陽市殷墟婦好墓	中國社會科學院考古研究所
48	疋未扁足鼎	商	河南安陽市戚家莊269號墓	河南安陽市文物工作隊
48	父乙鼎	商	河南安陽市孝民屯1573號墓	中國社會科學院考古研究所
49	獸面紋大方鼎	商	山西平陸縣崖底村前莊	山西省考古研究所
50	獸面紋大方鼎	商	河南鄭州市張寨南街杜嶺	中國國家博物館
51	獸面紋方鼎	商	河南鄭州市向陽回族食品廠	河南省鄭州市博物館
52	司母辛大方鼎	商	河南安陽市殷墟婦好墓	中國國家博物館
53	司母戊大方鼎	商	河南安陽市武官村	中國國家博物館
54	牛方鼎	商	河南安陽市殷墟西北崗1004號大墓	臺北故宫博物院
55	鹿方鼎	商	河南安陽市殷墟西北崗1004號大墓	臺北故宫博物院
56	徙方鼎	商	河南温縣小南張村	河南博物院
56	亞醜父已方鼎	商		故宫博物院
57	爰方鼎	商	河南安陽市戚家莊269號墓	河南省安陽市文物工作隊
57	父戊方鼎	商	傳河南安陽市	上海博物館
58	亞址方鼎	商	河南安陽市郭家莊160號墓	中國社會科學院考古研究所
59	邷方鼎	商	山西靈石縣旌介村	山西博物院
59	寢孳方鼎	商	山西曲沃縣曲村北6080號墓	山西省考古研究所
60	小臣缶方鼎	商		故宫博物院
60	禹方鼎	商	山東濟南市長清區	山東省博物館
61	婦好扁足方鼎	商	河南安陽市殷墟婦好墓	中國國家博物館
62	獸面雙弦紋鬲	商	湖北武漢市黄陂區盤龍城遺址李家嘴2號墓	湖北省博物館
62	無耳素面鬲	商	湖北武漢市黄陂區盤龍城遺址楊家灣6號墓	湖北省博物館
63	樊籬紋鬲	商	河南鄭州市楊莊	河南博物院
63	獸面紋鬲	商	河南輝縣市琉璃閣	中國國家博物館
64	雷紋鬲	商	河南新鄭市望京樓	河南省新鄭市文物保管所
64	人字紋鬲	商	河南鄭州市楊莊	河南博物院
65	耳鬲	商		中國國家博物館
65	雲雷紋鬲	商	陝西岐山縣京當鄉	陝西省岐山縣博物館
66	獸面紋鬲	商		美國舊金山亞洲藝術博物館
66	獸面紋鬲	商	山西洪洞縣上村	山西省考古研究所

頁碼	名稱	時代	發現地	收藏地
104	受觚	商		故宮博物院
104	亞址方觚	商	河南安陽市郭家莊160號墓	中國社會科學院考古研究所
105	[illegible]方觚	商	傳河南安陽市	德國科隆東亞藝術博物館
106	斜角雷紋帶鋬觚	商		上海博物館
106	四瓣花紋觶	商	河南安陽市殷墟婦好墓	中國社會科學院考古研究所
107	獸面紋觶	商	河南安陽市武官1022號墓	臺灣“中央研究院歷史語言研究所”
107	獸面紋觶	商	傳河南安陽市	上海博物館
108	星小集母乙觶	商	河南安陽市大司空村53號墓	北京大學賽克勒考古與藝術博物館
108	衛父己觶	商	傳河南安陽市	河南博物院
109	戈觶	商	河南安陽市郭家莊東南1號墓	中國社會科學院考古研究所
109	獸面紋觶	商	傳河南安陽市	上海博物館
110	父乙觶	商	傳河南安陽市	上海博物館
110	弜觶	商	傳河南安陽市	美國舊金山亞洲藝術博物館
111	鴞紋觶	商	傳河南安陽市	美國舊金山亞洲藝術博物館
112	融觶	商	山東青州市蘇埠屯	山東省博物館
112	縱瓦紋觶	商	河南安陽市殷墟西區907號墓	中國社會科學院考古研究所
113	亞址觶	商	河南安陽市郭家莊160號墓	中國社會科學院考古研究所
113	獸面紋高足杯	商	陝西扶風縣法門鎮	陝西省扶風縣博物館
114	獸面紋爵	商	河南中牟縣黄店	河南博物院
114	獸面紋爵	商	河南鄭州市楊莊	河南博物院
115	獸面紋爵	商	河南鄭州市白家莊	河南省鄭州市博物館
115	獸面紋獨柱爵	商	湖北武漢市黄陂區盤龍城遺址	湖北省博物館
116	獸面紋爵	商	河南鄭州市銘功路	河南省鄭州市博物館
116	獸面紋獨柱爵	商	河南輝縣市琉璃閣	中國國家博物館
117	獸面紋爵	商		上海博物館
117	獸面紋爵	商		故宮博物院
118	獸面紋獨柱爵	商	河南鄭州市楊莊	河南博物院
118	夔紋爵	商	河南漯河市郾城區攔河潘	河南省漯河市郾城區許慎紀念館
119	獸面紋爵	商	河南安陽市小殷墟屯388號墓	臺灣“中央研究院歷史語言研究所”
119	獸面紋爵	商		上海博物館
120	獸面紋單柱爵	商	安徽肥西縣館驛	安徽省博物館
121	獸面紋爵	商	河南安陽市殷墟小屯333號墓	臺灣“中央研究院歷史語言研究所”
121	羍爵	商	河南安陽市大司空539號墓	中國社會科學院考古研究所
122	婦好平底爵	商	河南安陽市殷墟婦好墓	中國國家博物館

頁碼	名稱	時代	發現地	收藏地
123	[illegible]爵	商	河南安陽市大司空663號墓	中國社會科學院考古研究所
123	日辛共爵	商	河南安陽市孝民屯907號墓	中國社會科學院考古研究所
124	獸面紋爵	商	河南安陽市劉家莊19號墓	河南省安陽市文物工作隊
124	共爵	商	河南安陽市孝民屯152號墓	中國社會科學院考古研究所
125	[illegible]爵	商	河南安陽市孝民屯1572號墓	中國社會科學院考古研究所
125	W址爵	商	河南安陽市大司空304號墓	中國國家博物館
126	寢魚帶蓋爵	商	河南安陽市孝民屯南1713號墓	中國社會科學院考古研究所
126	子鉞爵	商	河南安陽市劉家莊1號墓	河南省安陽市文物工作隊
127	亞其爵	商	傳河南安陽市	上海博物館
127	子工萬爵	商		故宫博物院
128	旅爵	商	傳河南安陽市	上海博物館
128	侣母爵	商	傳河南安陽市	上海博物館
129	爻爵	商	傳河南安陽市	上海博物館
129	學爵	商	傳河南安陽市	上海博物館
130	子韋爵	商	傳河南安陽市	美國波士頓美術館
130	覃爵	商	傳河南安陽市	美國波特蘭藝術博物館
131	父乙爵	商	傳河南安陽市	美國舊金山亞洲藝術博物館
131	息爵	商	河南羅山縣蟒張鄉息國墓地	河南省信陽市文物管理委員會
132	婦婞爵	商	河南輝縣市褚邱鄉	河南省新鄉市博物館
132	犬方爵	商	河南安陽市高樓莊後岡9號墓	中國社會科學院考古研究所
133	父癸角	商	傳河南安陽市	美國華盛頓弗利爾美術館
133	宰虓角	商		日本京都泉屋博古館
134	亞址角	商	河南安陽市郭家莊160號墓	中國社會科學院考古研究所
134	獸面紋角	商	傳爲河南安陽市殷墟	英國牛津雅士莫里博物館
135	[illegible]角	商		故宫博物院
135	弦紋平底斝	商	安徽六安市	安徽省博物館
136	獸面紋平底斝	商	河南鄭州市白家莊	河南博物院
136	獸面紋平底斝	商	湖北武漢市黄陂區盤龍城遺址	湖北省博物館
137	獸面紋斝	商	河南鄭州市白家莊27號墓	河南省鄭州市博物館
137	獸面紋平底斝	商	河南鄭州市白家莊39號墓	河南博物院
138	獸面紋平底斝	商	湖北武漢市黄陂區盤龍城遺址	湖北省博物館
139	夔紋斝	商	河南漯河市郾城區攔河潘	河南省漯河市郾城區許慎紀念館
139	獸面紋斝	商		上海博物館
140	獸面紋斝	商	河南安陽市殷墟小屯388號墓	臺灣“中央研究院歷史語言研究所”

頁碼	名稱	時代	發現地	收藏地
161	风尊	商		英國倫敦戴迪野行
161	獸面紋尊	商		湖南省博物館
162	司㚸母尊	商	河南安陽市殷墟婦好墓	中國社會科學院考古研究所
162	寧尊	商	傳河南安陽市	美國紐約大都會藝術博物館
163	漁尊	商	河南安陽市殷墟小屯18號墓	中國社會科學院考古研究所
163	日譜尊	商	河南安陽市殷墟西區第7區93號墓	中國社會科學院考古研究所
164	㬪尊	商	傳河南安陽市	上海博物館
164	獸面紋尊	商	河南安陽市戚家莊269號墓	河南省安陽市文物工作隊
165	父己尊	商	傳河南安陽市	河南省新鄉市博物館
165	父癸尊	商	陝西西安市長安區大原村	陝西省西安市文物保護考古所
166	父癸尊	商	陝西麟游縣九成宮	陝西省麟游縣博物館
166	亞獏尊	商	傳河南安陽市	美國華盛頓弗利爾美術館
167	[illegible]尊	商	河南安陽市	美國華盛頓賽克勒美術館
167	[illegible]馬父辛尊	商		上海博物館
168	[illegible]父己尊	商	山西靈石縣旌介村	山西省考古研究所
168	隹父癸尊	商		上海博物館
169	大御庚尊	商	湖北武漢市漢南區東城垸	湖北省博物館
170	作尊彝尊	商		故宮博物院
170	四龍四象方尊	商	河南安陽市郭家莊160號墓	中國社會科學院考古研究所
171	司㚸母癸方尊	商	河南安陽市殷墟婦好墓	中國社會科學院考古研究所
171	婦好方尊	商	河南安陽市殷墟婦好墓	中國社會科學院考古研究所
172	獸面紋方尊	商	河南新鄉市	中國社會科學院考古研究所
173	小臣艅犀尊	商	傳山東梁山縣	美國舊金山亞洲藝術博物館
174	婦好鴞尊	商	河南安陽市殷墟婦好墓	中國國家博物館
174	亞獸鴞尊	商		美國華盛頓賽克勒美術館
175	龜紋折肩罍	商	河南鄭州市白家莊2號墓	中國國家博物館
175	獸面紋罍	商	河南鄭州市二里崗	河南省鄭州市博物館
176	獸面紋罍	商	河南鄭州市白家莊	河南博物院
176	獸面紋罍	商	河南安陽市殷墟小屯388號墓	臺灣“中央研究院歷史語言研究所”
177	獸面紋罍	商	河南安陽市殷墟小屯331號墓	臺灣“中央研究院歷史語言研究所”
177	獸面紋罍	商	河南漯河市郾城區攔河潘	河南省漯河市郾城區許慎紀念館
178	三羊折肩罍	商	河南鄭州市向陽回族食品廠	河南博物院
178	獸面紋罍	商	河南漯河市郾城區攔河潘	河南省漯河市郾城區許慎紀念館
179	聯珠紋罍	商	河北藁城市臺西村	河北省文物研究所

頁碼	名稱	時代	發現地	收藏地
179	獸面紋罍	商		故宫博物院
180	寧罍	商	傳河南安陽市	上海博物館
180	雷紋罍	商	傳河南安陽市	日本神户白鶴美術館
181	亞址罍	商	河南安陽市郭家莊160號墓	中國社會科學院考古研究所
181	爰罍	商	河南安陽市戚家莊269號墓	河南省安陽市文物工作隊
182	獸面紋罍	商		上海博物館
183	圓渦紋罍	商		北京市保利藝術博物館
183	乃孫祖甲罍	商		故宫博物院
184	獸面紋方罍	商	傳河南安陽市	美國芝加哥藝術館
184	獸面紋方罍	商	傳河南安陽市	河南省新鄉市博物館
185	登屰方罍	商	遼寧喀喇沁左翼蒙古族自治縣小波汰溝	遼寧省博物館
185	亞㠱方罍	商		上海博物館
186	亞醜方罍	商		故宫博物院
187	獸面紋瓿	商	河南靈寶市豫靈鎮東橋村	河南省靈寶市文化館
187	獸面紋瓿	商		故宫博物院
188	獸面紋瓿	商	河北藁城市臺西村112號墓中	河北省文物研究所
188	獸面紋瓿	商	湖北武漢市黄陂區魯臺鎮	湖北省武漢市博物館
189	三羊瓿	商		故宫博物院
190	百乳雷紋瓿	商	河南安陽市小屯188號墓	臺灣“中央研究院歷史語言研究所”
190	勾連雷紋瓿	商	河南安陽市武官1號墓	中國社會科學院考古研究所
191	婦好帶蓋瓿	商	河南安陽市殷墟婦好墓	中國國家博物館
191	獸面紋帶蓋瓿	商	河南安陽市殷墟婦好墓	河南博物院
192	四羊首瓿	商		上海博物館
192	百乳雷紋瓿	商	傳河南安陽市武官村	法國巴黎吉美美術館
193	乳釘雷紋蛙飾瓿	商		美國舊金山亞洲藝術博物館
193	㸒方彝	商	傳河南安陽市	美國舊金山亞洲藝術博物館
194	婦好方彝	商	河南安陽市殷墟婦好墓	中國社會科學院考古研究所
195	獸面紋方彝	商	傳河南安陽市	日本神户白鶴美術館
195	鼎方彝	商		上海博物館
196	鼎方彝	商		英國倫敦埃斯肯納齊行
196	史方彝	商		日本神户白鶴美術館
197	亞獸方彝	商		美國紐約大都會藝術博物館
197	右方彝	商	河南安陽市武官1022號墓	臺灣“中央研究院歷史語言研究所”
198	爰方彝	商	河南安陽市戚家莊269號墓	河南省安陽市文物工作隊

頁碼	名稱	時代	發現地	收藏地
198	子蝠方彝	商		美國哈佛大學福格美術館
199	寧方彝	商	傳河南安陽市	德國科隆東亞藝術博物館
200	婦好雙聯方彝	商	河南安陽市殷墟婦好墓	中國國家博物館
202	勾連雷紋壺	商	傳河南安陽市	美國華盛頓弗利爾美術館
202	雷紋壺	商	傳河南安陽市	德國科隆東亞藝術博物館
203	曲折雷紋壺	商		美國明尼阿波利斯藝術館
203	“X”壺	商		上海博物館
204	婦好壺	商	河南安陽市殷墟婦好墓	中國社會科學院考古研究所
204	獸面紋壺	商		上海博物館
205	獸面紋壺	商	山西長治市西白兔鄉南村	山西省長治市博物館
205	獸面紋壺	商		美國舊金山亞洲藝術博物館
206	先壺	商	傳河南安陽市	上海博物館
206	斝壺	商	傳河南安陽市	美國舊金山亞洲藝術博物館
207	細直頸提梁壺	商	湖北武漢市黄陂區盤龍城遺址	湖北省博物館
207	長腹提梁壺	商	河南鄭州市向陽回族食品廠	河南博物院
208	獸面紋提梁壺	商	河南安陽市武官1022號墓	臺灣“中央研究院歷史語言研究所”
209	獸面紋提梁壺	商	河南安陽市殷墟婦好墓	中國社會科學院考古研究所
209	北單提梁壺	商	河南安陽市武官1號墓	中國國家博物館
210	獸面紋提梁壺	商	傳河南安陽市	美國舊金山亞洲藝術博物館
210	册告提梁壺	商	傳河南安陽市	美國華盛頓賽克勒美術館
211	小子省壺	商		上海博物館
211	四祀邲其提梁壺	商		故宫博物院
212	獸面紋提梁壺	商		故宫博物院
212	鳶祖辛提梁壺	商		故宫博物院
213	二祀邲其提梁壺	商	傳河南安陽市	故宫博物院
213	亞盥提梁壺	商	河南安陽市苗圃172號墓	中國社會科學院考古研究所
214	鳥紋提梁壺	商	河南安陽市武官2046號墓	臺灣“中央研究院歷史語言研究所”
214	丩母父乙提梁壺	商		故宫博物院
215	子提梁壺	商		故宫博物院
215	鳶提梁壺	商	傳河南安陽市	美國華盛頓弗利爾美術館
216	明提梁壺	商	山西靈石縣旌介村	山西省考古研究所
216	鳥紋提梁壺	商	河南羅山縣後李村	河南博物院
217	邲提梁壺	商	陝西岐山縣賀家村	陝西省岐山縣博物館
218	戉箙提梁壺	商		上海博物館

頁碼	名稱	時代	發現地	收藏地
219	鳳紋提梁壺	商	河南安陽市郭家莊160號墓	中國社會科學院考古研究所
220	夻提梁壺	商		臺北故宮博物院
221	獸面紋提梁壺	商	傳河南安陽市	美國舊金山亞洲藝術博物館
221	亞矣方壺	商	傳河南安陽市武官村	日本神户白鶴美術館
222	獸面紋方壺	商	傳河南安陽市	日本神户白鶴美術館
223	司㚸母方壺	商	河南安陽市殷墟婦好墓	中國社會科學院考古研究所
224	亞址提梁壺	商	河南安陽市郭家莊160號墓	中國社會科學院考古研究所
224	鴞形提梁壺	商	河南安陽市大司空村539號墓	中國社會科學院考古研究所
225	鴞形提梁壺	商	傳河南安陽市	美國華盛頓弗利爾美術館
225	鴞形提梁壺	商	傳河南安陽市	英國劍橋大學菲茨威廉博物館
226	鴞形提梁壺	商	河南羅山縣後李村	河南博物院
226	鴞形提梁壺	商	湖北應城市采集	湖北省應城市博物館
227	鴞形提梁壺	商	河北辛集市徵集	河北省博物館
228	婦好虎鴞卣	商	河南安陽市殷墟婦好墓	中國社會科學院考古研究所
228	獸面紋卣	商	河南安陽市殷墟婦好墓	中國社會科學院考古研究所
229	虎紋卣	商		美國哈佛大學福格美術館
229	獸面紋卣	商		日本京都泉屋博古館
230	象首獸面紋卣	商	傳河南安陽市	日本神户白鶴美術館
230	龍首獸面紋卣	商	傳河南安陽市	美國華盛頓弗利爾美術館
231	鴞紋卣	商	傳河南安陽市	美國紐約大都會藝術博物館
231	獸面紋卣	商	傳河南安陽市	美國舊金山亞洲藝術博物館
232	獸面紋兕卣	商		故宮博物院
232	𦣻父乙卣	商		上海博物館
233	獸面紋卣	商	山西靈石縣旌介村	山西博物院
234	晛卣	商	河南安陽市郭家莊53號墓	中國社會科學院考古研究所
234	㔾非卣	商		美國華盛頓弗利爾美術館
235	六足鳥獸紋卣	商		美國華盛頓弗利爾美術館
236	弦紋袋足盉	商	河南鄭州市東里路	河南博物院
236	獸面紋袋足盉	商	河南中牟縣黄店鎮	河南博物院
237	婦好封口盉	商	河南安陽市殷墟婦好墓	中國社會科學院考古研究所
237	卵形盉	商	河南安陽市殷墟小屯331號墓	臺灣“中央研究院歷史語言研究所”
238	中方盉	商	河南安陽市侯家莊1001號大墓	日本東京根津美術館
239	左方盉	商	河南安陽市侯家莊1001號大墓	日本東京根津美術館
239	右方盉	商	河南安陽市侯家莊1001號大墓	日本東京根津美術館

頁碼	名稱	時代	發現地	收藏地
240	龍紋盉	商	河南安陽市殷墟婦好墓	河南博物院
240	揚從盉	商	山東青州市蘇埠屯	山東省博物館
241	亞鳥寧盉	商		故宫博物院
241	馬永圈足盉	商	傳河南安陽市	中國國家博物館
242	人面蓋圈足盉	商	傳河南安陽市	美國華盛頓弗利爾美術館
243	司母辛四足獸形匜	商	河南安陽市殷墟婦好墓	中國國家博物館
243	犧匜	商		美國哈佛大學福格美術館
244	鳳鳥紋羊匜	商		日本藤田美術館
244	夔紋盤	商	河南鄭州市白家莊	河南省鄭州市博物館
245	大圈足盤	商	湖北武漢市黄陂區盤龍城遺址	湖北省博物館
245	婦好龍紋大圈足盤	商	河南安陽市殷墟婦好墓	中國社會科學院考古研究所
246	龍魚紋盤	商	河南安陽市殷墟小屯18號墓	中國社會科學院考古研究所
247	蟠龍紋盤	商	傳河南安陽市	美國華盛頓弗利爾美術館
248	魚紋盤	商	河南安陽市武官259號墓	中國社會科學院考古研究所
248	蟠龍紋盤	商	傳河南安陽市	日本神户白鶴美術館
249	旅盤	商	傳河南安陽市	美國舊金山亞洲藝術博物館
249	蛙魚紋斗	商	河南安陽市殷墟小屯331號墓	臺灣“中央研究院歷史語言研究所”
250	蟬紋斗	商	河南安陽市孝民屯907號墓	中國社會科學院考古研究所
250	爻斗	商		上海博物館
251	龍紋斗	商	傳河南安陽市	上海博物館
251	鳥首柄器	商		故宫博物院
252	亞㑀姗編鐃	商	河南安陽市大司空312號墓	中國國家博物館
252	亞址編鐃	商	河南安陽市郭家莊160號墓	中國社會科學院考古研究所
253	中編鐃	商	河南安陽市孝民屯699號墓	中國社會科學院考古研究所
253	獸面紋鐃	商		上海博物館
254	酗亞鐃	商		上海博物館
254	獸面紋鐃	商		北京市保利藝術博物館
255	夔紋鉞	商	湖北武漢市黄陂區盤龍城遺址	湖北省博物館
255	獸面紋鉞	商	河北藁城市臺西村	河北省文物研究所
256	婦好神面紋鉞	商	河南安陽市殷墟婦好墓	中國社會科學院考古研究所
256	神面大鉞	商	山東青州市蘇埠屯大墓	中國國家博物館
257	神面大鉞	商	山東青州市蘇埠屯大墓	中國國家博物館
257	獸面紋大鉞	商		故宫博物院
258	人面大鉞	商		德國科隆東亞藝術博物館

頁碼	名稱	時代	發現地	收藏地
258	獸面紋鉞	商	河南安陽市大司空539號墓	中國社會科學院考古研究所
259	三角雲紋鉞	商	河南安陽市郭家莊160號墓	中國社會科學院考古研究所
259	獸面紋鉞	商	傳河南安陽市	德國科隆東亞藝術博物館
260	獸面紋鉞	商	河南安陽市郭家莊160號墓	中國社會科學院考古研究所
260	虎紋鉞	商		湖南省博物館
261	獸面紋鉞	商		故宮博物院
261	龔子鉞	商		故宮博物院
262	兮鉞	商		英國
262	鑲嵌獸面紋戈	商		上海博物館
263	三角援戈	商	河南安陽市孝民屯355號墓	中國社會科學院考古研究所
263	獸面紋戈	商		故宮博物院
264	獸面紋戈	商	山西靈石縣旌介1號墓	山西省考古研究所
264	鳥形曲内戈	商	河南安陽市孝民屯613號墓	中國社會科學院考古研究所
265	直内戈	商	河南安陽市孝民屯692號墓	中國社會科學院考古研究所
265	銎内戈	商	河南安陽市孝民屯928號墓	中國社會科學院考古研究所
266	祀譜三戈	商	出土地點有河北易縣、保定和平山三説	遼寧省博物館
267	鑲嵌龍紋銅柲玉戈	商	傳河南安陽市	美國華盛頓弗利爾美術館
267	矛	商	河南安陽市孝民屯729號墓	中國社會科學院考古研究所
268	矛	商	河南安陽市孝民屯917號墓	中國社會科學院考古研究所
268	獸面紋矛	商	山西靈石縣旌介2號墓	山西省考古研究所
269	玉葉矛	商	河南安陽市大司空村25號墓	中國社會科學院考古研究所
269	龍紋捲首刀	商	河南安陽市孝民屯1713號墓	中國社會科學院考古研究所
270	捲首刀	商		故宮博物院
270	大刀	商		故宮博物院
271	獸面紋胄	商		北京市保利藝術博物館
271	獸面紋胄	商	傳河南安陽市	故宮博物院
272	龍紋馬首弓形器	商	河南安陽市殷墟婦好墓	中國社會科學院考古研究所
272	八角星紋弓形器	商	河南安陽市郭家莊160號墓	中國社會科學院考古研究所
273	人面獸紋弓形器	商	傳河南安陽市	上海博物館
274	鏟	商	河南安陽市苗圃	中國社會科學院考古研究所
274	射女方爐	商		山東省博物館
275	爐	商	河南安陽市郭家莊160號墓	中國社會科學院考古研究所
275	箕形器	商	河南安陽市大司空539號墓	中國社會科學院考古研究所
276	葉脉紋鏡	商	河南安陽市殷墟婦好墓	中國國家博物館

頁碼	名稱	時代	發現地	收藏地
276	同心圓紋鏡	商	河南安陽市殷墟婦好墓	中國社會科學院考古研究所

弧背刀

馬家窑文化
甘肅東鄉縣林家村出土。
長12.5厘米。
錫青銅雙面範澆鑄。形制爲弧背、垂首、短柄，前端和下端開刃。刃部前端有使用痕迹，柄端有裝木柄的迹象。其形態雖古拙原始，但已具後來流行的刀和削的雛形。它是已發現的年代最早的形態完整的青銅製品。
現藏甘肅省博物館。

鈴形器

龍山文化
山西襄汾縣陶寺遺址出土。
高2.6、頂長5.2、口長6.3厘米。
銅質爲含雜質的紅銅。器形中空，斷面呈菱形，上小下大，平頂敞口。頂上本應鑄相對的二圓孔，其中一孔已與鑄件冷却收縮時形成的孔洞連成一片。這是已知的最早的空腔銅器。
現藏中國社會科學院考古研究所。

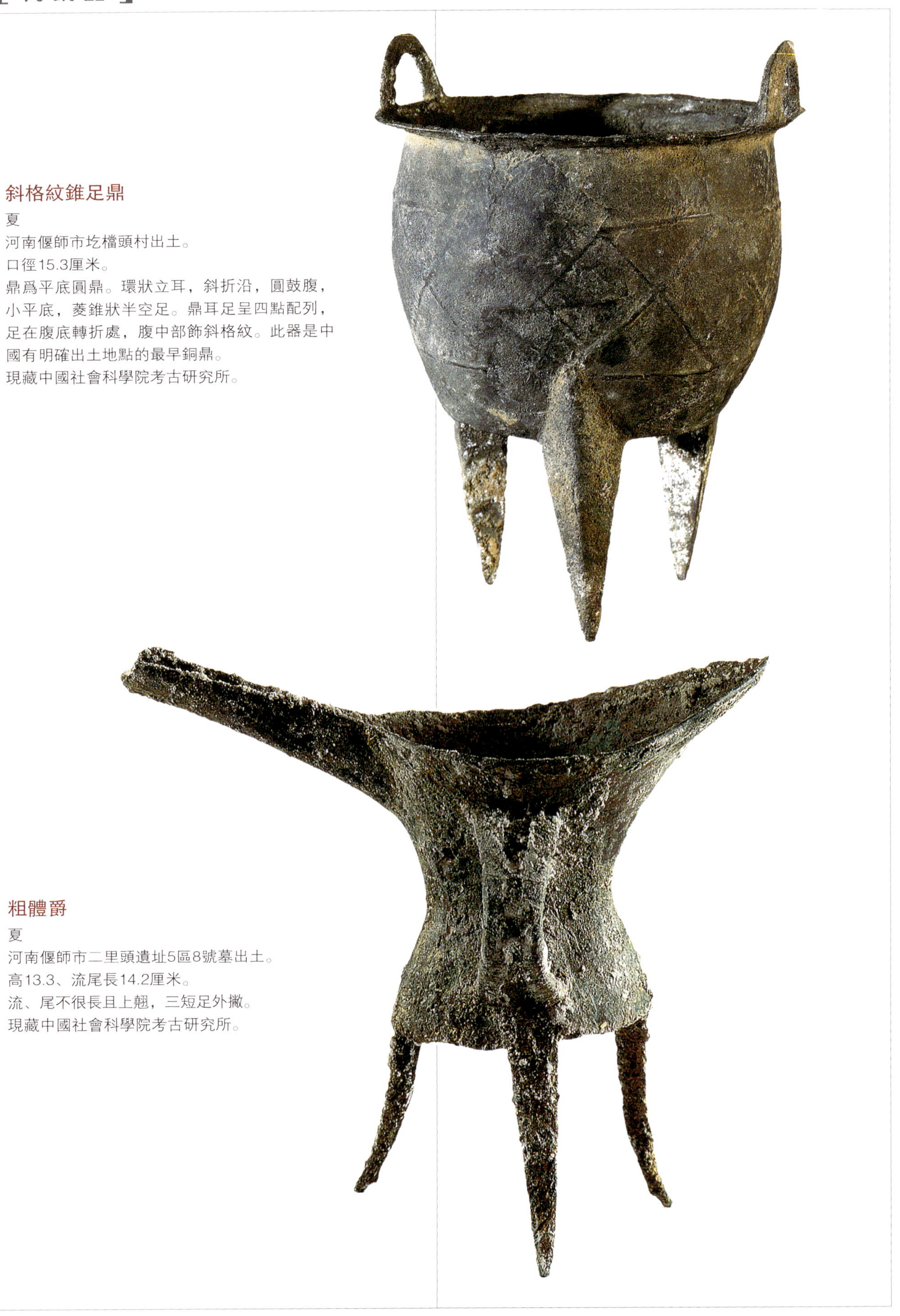

斜格紋錐足鼎

夏

河南偃師市圪檔頭村出土。

口徑15.3厘米。

鼎爲平底圓鼎。環狀立耳，斜折沿，圓鼓腹，小平底，菱錐狀半空足。鼎耳足呈四點配列，足在腹底轉折處，腹中部飾斜格紋。此器是中國有明確出土地點的最早銅鼎。

現藏中國社會科學院考古研究所。

粗體爵

夏

河南偃師市二里頭遺址5區8號墓出土。

高13.3、流尾長14.2厘米。

流、尾不很長且上翹，三短足外撇。

現藏中國社會科學院考古研究所。

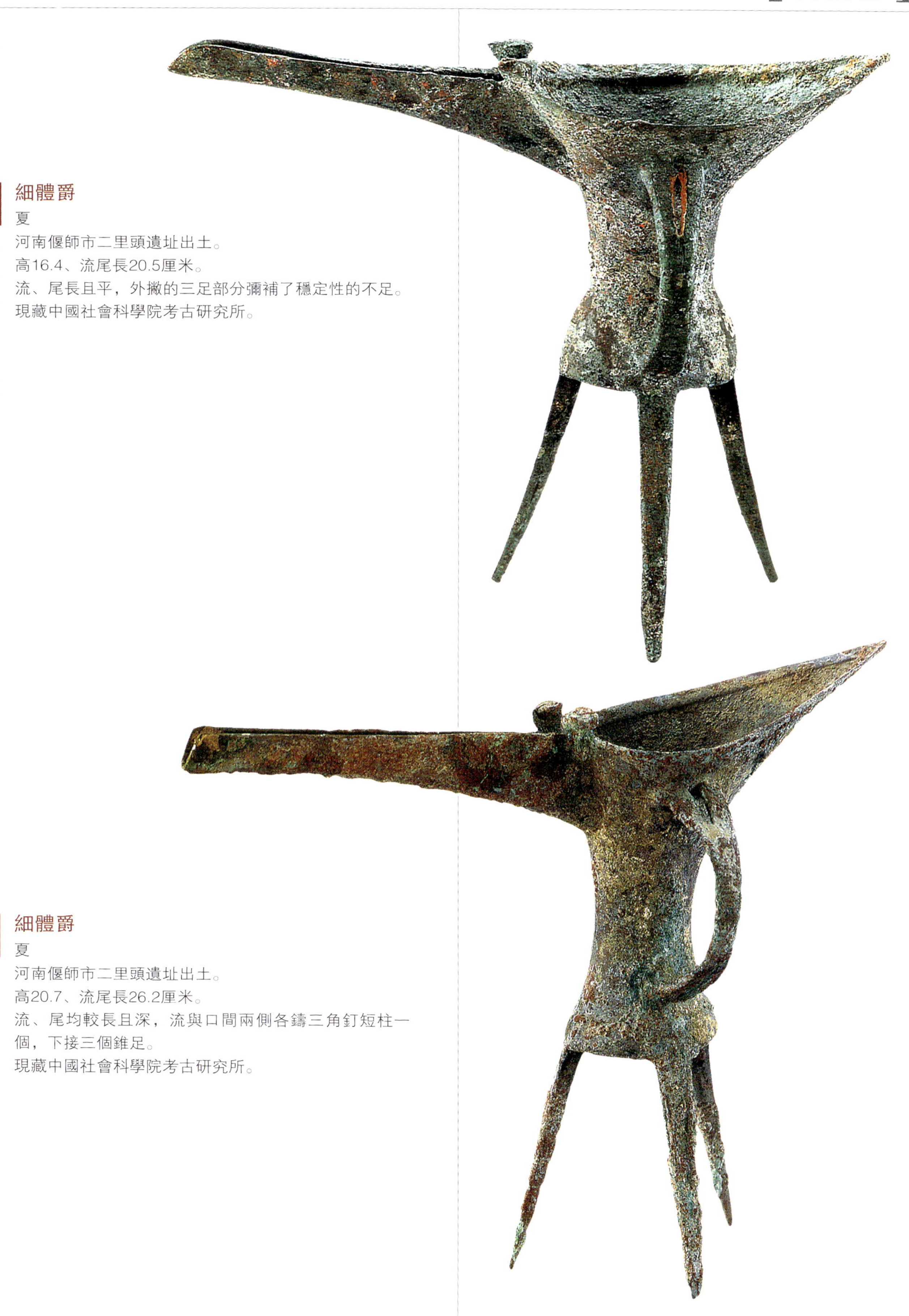

細體爵

夏

河南偃師市二里頭遺址出土。

高16.4、流尾長20.5厘米。

流、尾長且平，外撇的三足部分彌補了穩定性的不足。

現藏中國社會科學院考古研究所。

細體爵

夏

河南偃師市二里頭遺址出土。

高20.7、流尾長26.2厘米。

流、尾均較長且深，流與口間兩側各鑄三角釘短柱一個，下接三個錐足。

現藏中國社會科學院考古研究所。

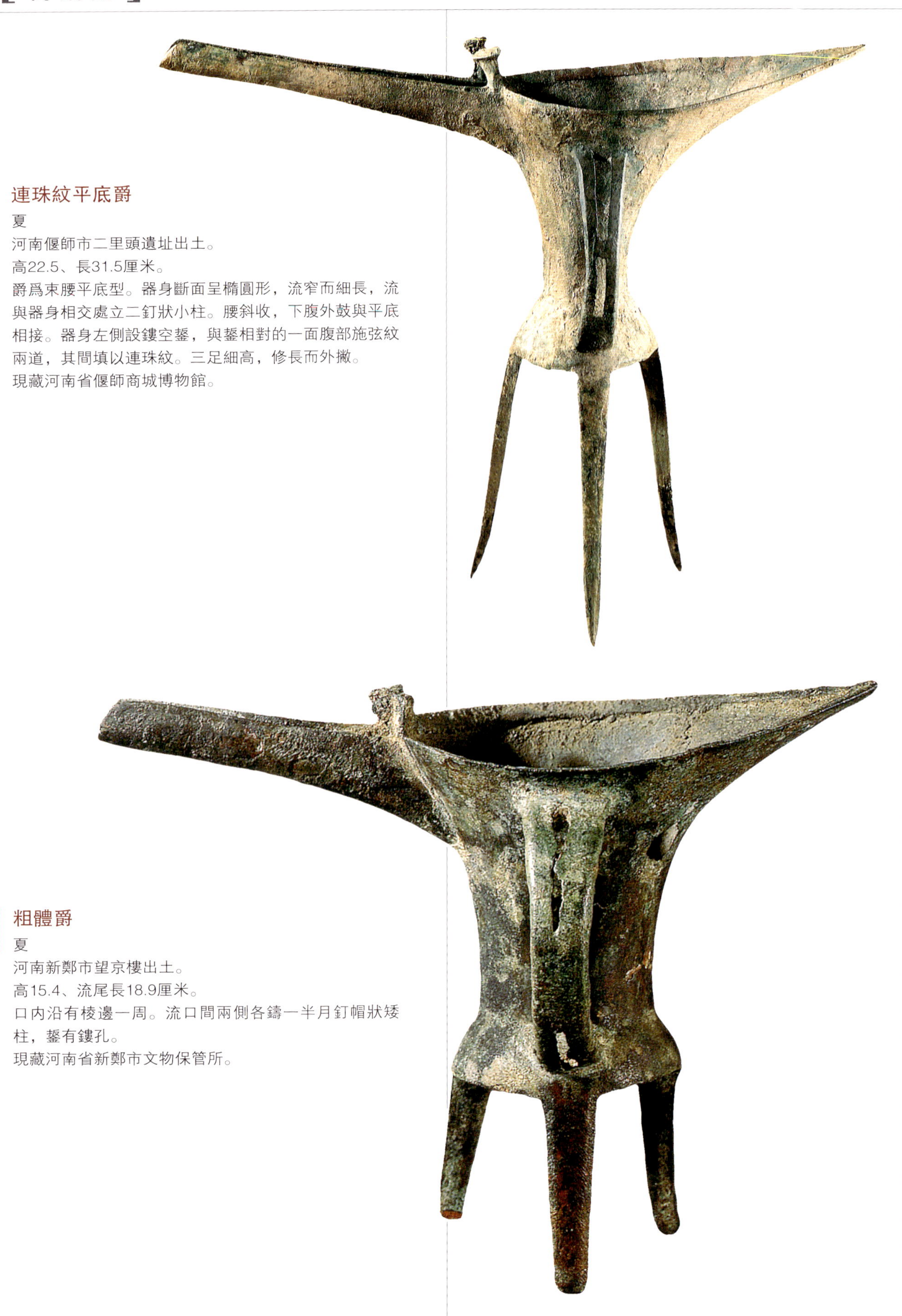

連珠紋平底爵

夏

河南偃師市二里頭遺址出土。

高22.5、長31.5厘米。

爵爲束腰平底型。器身斷面呈橢圓形，流窄而細長，流與器身相交處立二釘狀小柱。腰斜收，下腹外鼓與平底相接。器身左側設鏤空鋬，與鋬相對的一面腹部施弦紋兩道，其間填以連珠紋。三足細高，修長而外撇。

現藏河南省偃師商城博物館。

粗體爵

夏

河南新鄭市望京樓出土。

高15.4、流尾長18.9厘米。

口内沿有棱邊一周。流口間兩側各鑄一半月釘帽狀矮柱，鋬有鏤孔。

現藏河南省新鄭市文物保管所。

細體假腹爵

夏

河南商丘市出土。

高19.7、流尾長17厘米。

細流上翹，器底下的覆碗形假腹上有四個圓形鏤孔，三足下端似已磨損。

現藏天津博物館。

爵

夏

高11.7、流尾長14.1厘米。

流尾短平，深腹束腰，立足彎曲內鈎，足雖短小而給人穩重之感。

現藏上海博物館。

平底錐足斝

夏

河南偃師市二里頭遺址6區9號墓出土。

高30.5、口徑17–18厘米。

敞口，口沿前部有對稱的兩個棱錐狀矮柱。束腰，折腹外侈，腰腹後部設鋬。平底下接三錐狀足，足空且挺直。器外無紋飾。這種銅斝是商代最流行銅斝的原始形態，開一代銅斝形制的先河。

現藏中國社會科學院考古研究所。

圜底空錐足斝

夏

高27.2、口徑17厘米。

器腹下承三棱空錐足，頸部飾聯珠紋。

現藏上海博物館。

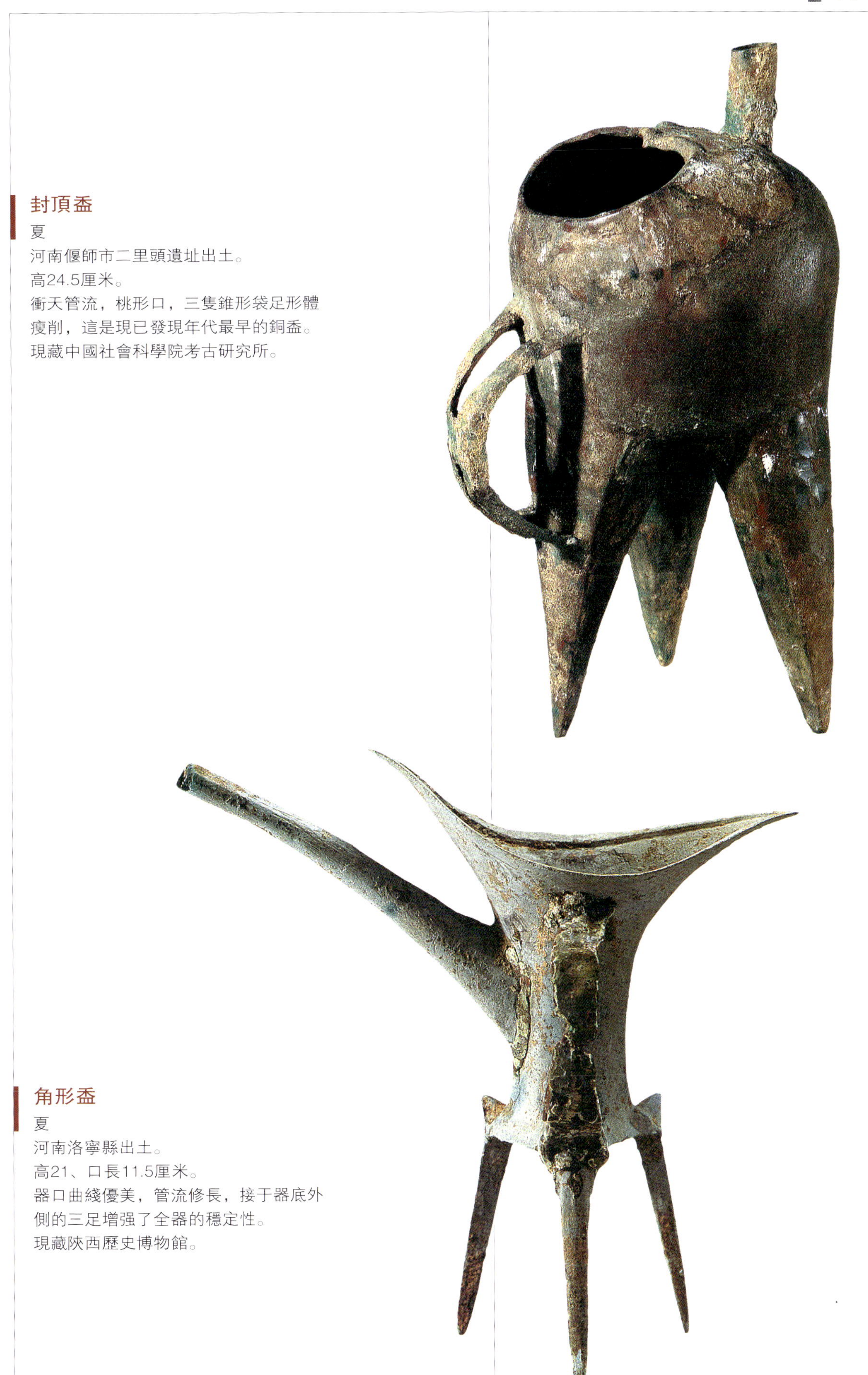

封頂盉

夏

河南偃師市二里頭遺址出土。

高24.5厘米。

衝天管流，桃形口，三隻錐形袋足形體瘦削，這是現已發現年代最早的銅盉。

現藏中國社會科學院考古研究所。

角形盉

夏

河南洛寧縣出土。

高21、口長11.5厘米。

器口曲綫優美，管流修長，接于器底外側的三足增强了全器的穩定性。

現藏陝西歷史博物館。

角形假腹盉

夏

殘高20.6、口長16.3厘米。

此盉管流上有曲尺形扉棱，腰飾兩圈乳釘紋，假腹上有鏤孔。

現藏上海博物館。

嵌石獸面紋飾牌

夏

河南偃師市二里頭遺址出土。

長14.2、寬9.8厘米。

由青銅的牌底和綠松石的貼面兩部分構成。中腰微束，兩側各有二鈕。正凸面用形狀大小不等的綠松石鑲貼出獸面圖案。飾牌年代在二里頭文化第二、三期之際，是年代最早的鑲嵌綠松石飾牌。紋飾構圖嚴謹，貼嵌的玉石表面平整光潔，它是夏代銅器與玉石工藝相結合而產生的杰作。

現藏中國社會科學院考古研究所。

嵌石獸面紋飾牌

夏
河南偃師市二里頭遺址出土。
長16.5、寬8 1厘米。
正面微凸，以綠松石片鑲嵌，與青銅界欄構成獸面紋。
現藏中國社會科學院考古研究所。

鑲嵌綠松石獸面紋飾牌

夏
長15.5厘米。
正面微弧，以綠松石片鑲嵌，與青銅界欄構成獸面紋。
現藏英國倫敦埃斯肯納齊行。

七角星紋鏡

齊家文化

青海貴南縣尕馬臺25號墓出土。

直徑8.9厘米。

正面銹蝕嚴重，背面中爲鏡鈕，鈕座外在兩道凸弦紋間填以斜綫襯底的三角形，構成一不很規則的七角星形圖案。由于鏡鈕已殘損，在鏡身邊緣加鑽兩孔，以作繫繩懸挂之用。鏡製作工藝欠精，花紋簡單草率，但出土的同時期銅鏡寥寥無幾，故彌足珍貴。

現藏青海省文物考古隊。

三角紋鏡

齊家文化

傳甘肅出土。

直徑14.6厘米。

鏡背以弦紋分内、外區，内填以平等直棱紋襯底的連續三角紋，以象徵太陽的光芒。

現藏中國國家博物館。

闊葉倒鈎矛

齊家文化至卡約文化
青海西寧市馬坊鄉小橋村沈那遺址出土。
高61.5厘米。
這種集鈎刺爲一體的銅矛，在中國極少見。
現藏青海省文物考古研究所。

四羊頭杖首

四壩文化
甘肅玉門市清泉鄉火燒溝出土。
高8厘米。
鑄造成形。形似梨狀，其下有銎可裝柄，出土時柄已朽。圓腹一周對稱設置四羊頭裝飾。器形完整，表面顯綠銹。銅製杖首工藝複雜，應是權力的象徵。
現藏甘肅省文物考古研究所。

獸面紋大鼎

商

山西平陸縣崖底村前莊出土。

高73、口徑47.5厘米。

耳足平面呈四點配列。空槽狀圓頂立耳，斜折沿，腹甚深，下壁外鼓，下接上粗下細空獸足。口下腹上飾紋帶一周，紋飾由寬綫條組成，共三組，每組中爲獸面，兩側爲夔目。足上部飾獸面，下部飾凸弦紋兩道。

現藏山西省考古研究所。

獸面紋大鼎

商
湖北武漢市黄陂區盤龍城遺址出土。
高55、口徑40.7厘米。
耳足呈五點配列。槽狀立耳，寬斜折沿，深腹圜底，空錐足。鼎上部飾獸面紋帶，紋帶較窄，與高大的鼎身相比，顯得不够協調。該鼎是長江流域已發現的最大的商文化二里岡期銅鼎。
現藏湖北省博物館。

弦紋鼎

商
河南鄭州市白家莊出土。
高16.1、口徑13.5厘米。
耳足四點配列。斜折沿，鼓腹，圜底，空錐足。上腹部飾凸弦紋三周。
現藏河南省鄭州市博物館。

雲紋鼎

商

高19、口徑16.9厘米。

耳足四點配列。斜折沿，沿面有臺階，深腹略鼓，圜底下接三個空錐足。上腹部飾稀疏陽綫組成的斜角雲目紋一周。

現藏上海博物館。

獸面紋鼎

商

河南輝縣市出土。

高18.4、口徑14.9厘米。

耳足四點配列。斜折沿。深腹，底接圓錐空足。腹飾一周寬帶組成的獸面紋，上下以聯珠紋爲界。

現藏河南省新鄉市博物館。

夔紋鼎

商
陝西銅川市三里洞出土。
高19、口徑15厘米。
子母口，環耳，折沿，方唇。深腹，底近圜，空錐足。腹部飾一周單綫夔紋，上下以聯珠紋爲界。
現藏陝西歷史博物館。

獸面紋鼎

商
河南安陽市殷墟小屯232號墓出土。
高20.6、口徑15.1厘米。
耳足四點配列。深腹，圜底，三空錐足外撇。頸下飾獸面紋帶一周，上下各飾一周弦紋。
現藏臺灣“中央研究院歷史語言研究所”。

獸面紋錐足鼎

商
北京平谷區劉家河出土。
高18、口徑14厘米。
立耳，斜折沿，鼓腹，圜底。下附圓錐狀空足。腹飾寬綫獸面紋。
現藏北京市文物研究所。

獸面紋鼎

商
山西忻州市忻府區連寺溝出土。
高26厘米。
耳足五點配列。直壁，淺腹，底微圜，三高錐狀足，腹飾獸面紋一周，以雲雷紋爲地紋。
現藏山西博物院。

獸面紋錐足鼎

商
山西長子縣北高廟村出土。
高22、口徑17厘米。
耳足四點配列。立耳較大，腹淺，圓錐足甚高。腹飾獸面紋，上下以聯珠紋爲界。
現藏山西省長子縣博物館。

波狀紋錐足鼎

商
河南輝縣市褚邱鄉出土。
高38.5、口徑32.9厘米。
耳足五點配列。鼓腹圜底，圓錐狀足。頸飾縱折綫紋。
現藏河南省新鄉市博物館。

獸面紋獸足鼎

商

遼寧喀喇沁左翼蒙古族自治縣小波汰溝村出土。

高86、口徑61厘米。

斂口，立耳，圓柱足。腹飾一圈

帶狀獸面紋。足飾獸面紋。

現藏遼寧省博物館。

亞弜鼎

商

河南安陽市殷墟婦好墓出土。

高72.2、口徑54.5厘米。

立耳，窄斜折沿，方唇，鼎口微斂，鼓腹，圜底，下接三空獸足。花紋簡練，肩部施獸面紋一周六組，每組皆以一短扉棱爲中心，鼎足上部也各飾一獸面紋。紋飾皆爲單層花紋，不施地紋。“亞弜”的族名文字鑄在鼎的口沿上。

現藏中國國家博物館。

獸面紋柱足鼎

商

高17.1、寬15.1厘米。

深腹，耳足五點配列。小立耳，細柱足。頸飾寬帶獸面紋。

現藏故宫博物院。

婦好鼎

商

河南安陽市殷墟婦好墓出土。

高12、口徑10.3厘米。

頸下飾獸面紋三組，下飾垂葉紋。

口下内壁有二字銘文“婦好”。

現藏中國社會科學院考古研究所。

婦好鼎

商

河南安陽市殷墟婦好墓出土。

高29.5、口徑25厘米。

上腹主紋帶爲獸面紋及對龍紋，獸面中綫及雙龍間加扉棱。主紋帶下綴以蟬形垂葉紋。足飾三角雲紋。

口下内壁有銘文二字。

現藏中國社會科學院考古研究所。

獸面紋柱足鼎

商

河南安陽市殷墟婦好墓出土。

高22.5、口徑19.5厘米。

圓腹微鼓，柱足粗短。腹飾雲雷紋地的獸面紋三組。足飾雲紋及三角紋。

現藏中國社會科學院考古研究所。

射女鼎

商

傳河南安陽市出土。

高25、口徑20.7厘米。

口沿下飾雲雷紋地的獸面紋，下飾三角蟬紋，主紋突出，地紋規整，立體感强，腹內壁鑄族名銘文二字。

現藏上海博物館。

渦紋柱足鼎

商
河南安陽市殷墟小屯18號墓出土。
高25.7、口徑21.4厘米。
柱足上端還有微曲的意味。頸下飾由凸起的圓渦紋、四瓣花紋各九個相間隔組成的紋帶。
現藏中國社會科學院考古研究所。

戈鼎

商
高23.7、口徑19厘米。
腹飾六道寬厚扉棱，間飾雙角内彎的獸面紋并襯以雲雷紋地。柱足飾雲雷紋和三角紋。腹内壁銘刻有族名“戈”字。
現藏上海博物館。

㠯鼎

商
傳河南安陽市出土。
高19.3、口徑15.7厘米。
雙目寬厚，柱足粗大。頸下飾由圓渦紋與龍紋相間組成的紋帶，腹、足飾三角形蟬紋，均以雷紋爲邊。腹底鑄族名文字。
現藏上海博物館。

獸面紋柱足鼎

商
河南羅山縣蟒張鄉息國墓地出土。
高25、口徑20.5厘米。
腹較深，柱足上端略粗。腹飾獸面紋及三角形蟬紋，柱足陰刻三角紋。
現藏河南省信陽市文物管理委員會。

亞舟鼎

商
傳河南安陽市出土。
高35.4、口徑28.2厘米。
器頸微束，下飾獸面紋及三角蟬紋，三柱足飾雲雷紋和三角紋。器內有族名銘文二字。
現藏美國華盛頓弗利爾美術館。

戜鼎

商
高21.4、寬18.7厘米。
腹飾扉棱六道，其間頸飾目紋，腹飾獸面紋，均襯以雲雷紋地，三柱足飾三角紋，內壁鑄“戜”字。
現藏故宮博物院。

爰鼎

商

河南安陽市戚家莊269號墓出土。

高21、口徑15.4厘米。

腹飾扉棱六道，間飾以雲雷紋地的雲目紋及獸面紋。三柱足上部中空。內一側鑄族名文字“爰”。

現藏河南省安陽市文物工作隊。

獸面紋鼎

商

河南安陽市大司空663號墓出土。

高24、口徑19.5厘米。

腹飾扉棱六道，以其中三道扉棱爲鼻飾以雲雷紋地的獸面紋三組。柱足飾雲雷紋、三角蟬紋。

現藏中國社會科學院考古研究所。

共鼎
商
河南安陽市孝民屯907號墓出土。
高24、口徑19.5厘米。
腹飾扉棱六道，其中三道作爲三組大獸面紋的鼻梁。柱足飾三角捲雲紋。
腹內有一族名文字，衹餘半字。
現藏中國社會科學院考古研究所。

劉鼎
商
傳河南安陽市出土。
高22.9、口徑18.4厘米。
腹飾扉棱六道，以其中三道扉棱爲鼻飾以雷紋地的獸面紋三組，柱足上部飾雲雷紋一周，下接三角紋。腹內壁鑄鉞斬人首形的族名文字，或釋作“劉”字。
現藏上海博物館。

鳶鼎

商

傳河南安陽市出土。

高24.2、口徑20.3厘米。

器飾扉棱六道，以其中三道爲中綫，腹上部飾對鳥紋，下部飾大獸面紋，主紋均襯以雲雷紋。足飾三角形紋，器内有一族名文字。

現藏美國哈佛大學福格美術館。

息父辛鼎

商

河南羅山縣蟒張鄉息國墓地出土。

高39.5、口徑24.2厘米。

器飾窄扉棱三道，其間上層飾龍紋，下層飾寬大獸面紋，均以雲雷紋襯地。柱足飾三角雲紋。腹内壁鑄“息父辛”三字。

現藏河南省信陽市文物管理委員會。

無終鼎

商

高21、寬16厘米。

腹飾扉棱六道，并以之爲鼻，飾以雲雷紋襯地的獸面紋。内壁鑄族名銘文"無終"二字。

現藏故宫博物院。

鳥紋柱足鼎

商

河北磁縣下七垣出土。

高24.5、口徑11.8厘米。

頸下飾短扉棱六道，間飾三組相對的鳥紋，腹飾連續三角蟬紋，均以雷紋襯地。兩耳外側飾變形龍紋，足外側飾雲紋。

現藏河北省文物研究所。

史鼎

商

高25.1、口徑18厘米。

頸下飾兩兩相對鳥紋二組，間飾六道短扉棱。腹飾獸面紋三組，亦間飾扉棱六條。柱足飾雲雷紋和三角紋。腹内壁鑄有“史”字。

現藏上海博物館。

鳳鳥蟬紋鼎

商

高33.5、口徑28.2厘米。

口沿下飾一周渦紋和鳳鳥紋相間的紋帶，腹部飾三角形連續垂葉紋，内填蟬紋，均以雷紋襯地。柱足飾捲雲紋和連續垂葉紋。

現藏北京市保利藝術博物館。

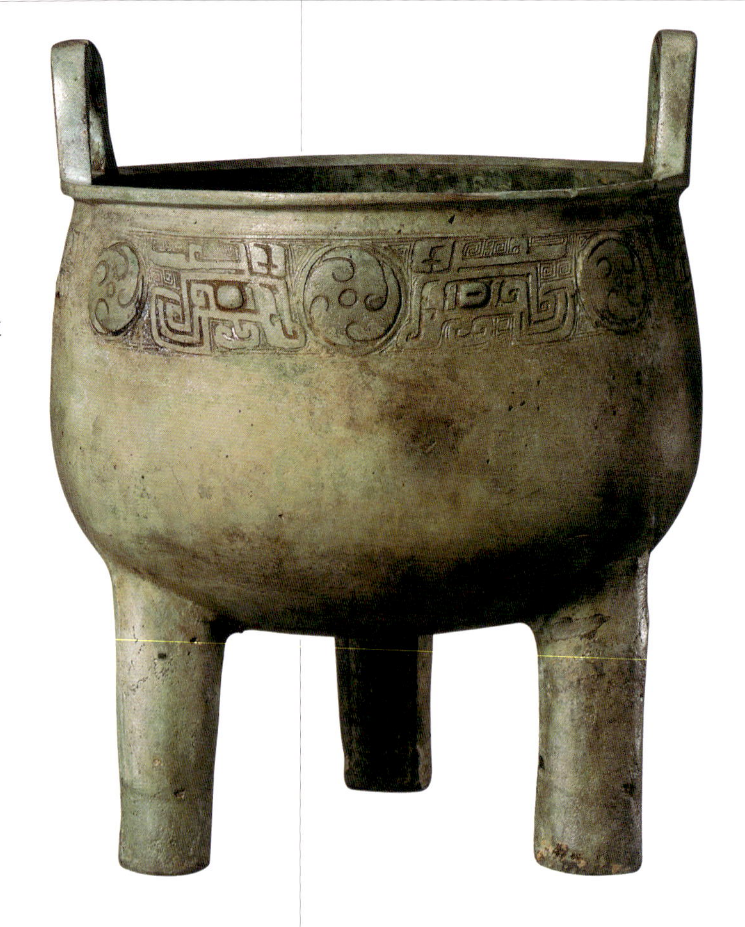

渦紋鼎

商

高28.2、口徑20.5厘米。

口沿下飾一周渦紋和夔體龍紋相間的紋帶，雷紋襯地。

現藏北京市保利藝術博物館。

獸面紋鼎

商

河北灤縣陳家山頭出土。

高25、口徑19.9厘米。

腹部起六道扉棱，腹飾大型獸面紋，雲雷紋襯地。

現藏北京大學賽克勒考古與藝術博物館。

三角紋鼎

商

高22.3、口徑20厘米。

頸飾一周蟬紋，腹飾一周雲紋和三角紋。器内底鑄徽記。

現藏北京大學賽克勒考古與藝術博物館。

斝鼎

商

傳河南安陽市出土。

高29.5厘米。

頸下飾蟬紋一周，腹飾菱形方格紋襯地的百乳雷紋，柱足飾三角紋，器内壁有銘文一字。

現藏美國舊金山亞洲藝術博物館。

子雋君妻鼎

商
傳河南安陽市出土。
高16.1、口徑20.1厘米。
頸下飾目紋一周，腹部飾菱形方格紋襯地的乳釘雷紋。腹內壁鑄銘文二行四字。
現藏上海博物館。

[illegible]箙鼎

商
河南南陽市梯家口3號墓出土。
高16.8、口徑13.1厘米。
頸下飾以雲雷紋襯地的獸面紋，腹飾菱形方格紋襯地的百乳雷紋，腹內壁一側有銘文“[illegible]箙”二字。
現藏河南省安陽市文物工作隊。

告寧鼎

商

河南安陽市孝民屯1118號墓出土。

高19.8、口徑16厘米。

頸下飾以雲雷紋襯地的蟬紋一周，腹飾菱形方格紋襯地的百乳雷紋。腹内壁有銘文二字。

現藏中國社會科學院考古研究所。

乳釘雷紋鼎

商

河南安陽市孝民屯1125號墓出土。

高20、口徑16.4厘米。

頸下飾鳥紋組成的獸面紋三組，腹飾乳釘雷紋，柱足飾陰綫三角捲雲紋。

現藏中國社會科學院考古研究所。

𡣕鼎

商
陝西扶風縣任家村出土。
高94、口徑63.5厘米。
頸下飾短扉棱，間飾獸面紋。足上部飾獸面紋。腹内壁有銘文二行七字，記此爲𡣕所作。另有二行十字刻款，書體文字稍晚。
現藏陝西歷史博物館。

菱格乳釘紋鼎

商

高20.2、口徑15.9厘米。

口沿下有六道短扉棱，與扉棱同寬飾夔龍紋一周，雲雷紋襯地。腹部以菱格紋爲地，每一菱格内飾一乳釘，雷紋襯地。

現藏北京市保利藝術博物館。

亞址鼎

商

河南安陽市郭家莊160號墓出土。

高55、口徑41厘米。

口上立二繩索形耳， 獸形足，足上部中空。口下以六短扉棱爲中綫飾獸面紋。足飾以雲雷紋襯地的獸面紋。口内鑄有銘文，亞字框内有一“址”字。

現藏中國社會科學院考古研究所。

父乙鼎

商

河南安陽市孝民屯284號墓出土。

高19、口徑14.8厘米。

耳足五點配列。索狀耳，鼓腹細蹄足。頸飾雲雷紋地的獸面紋一周，腹内壁有銘文三字。

現藏中國社會科學院考古研究所。

亣己鼎

商

河南安陽市苗圃47號墓出土。

高36.8、口徑28.5厘米。

耳足五點配列，短折沿，厚立耳，立足微外侈。腹飾寬長扉棱六道，上層飾由四鳥兩兩相對組成的紋帶，下層飾大型龍紋組成的獸面紋三組，足飾以扉棱爲鼻。獸面紋，兩耳間内壁一側鑄銘文二字。

現藏河南省安陽市文物工作隊。

戊嗣鼎

商

河南安陽市殷墟後崗圓坑出土。

高48、口徑34.5–39.5厘米。

立耳外侈，折沿方唇，下腹微鼓，半空蹄足。口下飾六組雲雷紋地的對捲形角獸面紋，獸面鼻梁突起爲扉棱。鼎足上部紋飾與口下同，其下有三道弦紋。銘文鑄于鼎內後壁，計三行二十九字（包括合文二），內容是九月丙午這天，商王在某地舉行了祀典，戍嗣參與其事，受到了商王廿朋貝的賞賜。銘文末尾綴有“犬魚”的象意銘文，當是氏族名號。

現藏中國社會科學院考古研究所。

温鼎

商

河南安陽市武官1435號墓出土。

高67.6、口徑38.3厘米。

柱足中空，頸飾龍紋，腹飾三角紋。足上部飾三角紋與雲雷紋。器內有銘文一字。

現藏臺灣“中央研究院歷史語言研究所”。

帶蓋鼎

商

河南安陽市武官村229號墓出土。

高64、口徑38.3厘米。

侈口，束頸，深垂腹，圜底。蓋頂飾半環鈕，蓋一側有一缺口，另一側有兩缺口，以嵌在立耳內。頸飾簡化獸面紋三組。

現藏中國社會科學院考古研究所。

蟬紋鼎

商

河南安陽市孝民屯875號墓出土。

高23.5、口徑17.5厘米。

頸下飾由龍紋組成的獸面紋三對，以雲雷紋爲地，扉棱爲鼻。腹飾連續三角蟬紋，足飾勾連雲雷紋及三角紋。

現藏中國社會科學院考古研究所。

雲紋鼎

商

高33.9、口徑26.6厘米。

頸飾一周夔紋，腹部飾大型幾何形勾連雲紋，雲雷紋襯地。柱足上部起扉棱，飾獸面紋。

現藏加拿大多倫多皇家安大略博物館。

羊鼎

商

傳河南安陽市出土。

高22.7、口徑17.8厘米。

束頸，深鼓腹，頸腹飾扉棱六道，頸下飾成對回顧式鳥紋，腹飾獸面紋，均以細密雷紋爲襯地。內底鑄銘文一字。

現藏上海博物館。

三角蟬紋鼎

商
傳河南安陽市出土。
高23.1厘米。
雙耳外壁飾對龍紋，頸下飾扉棱六道，間飾鳥紋。腹飾連續三角蟬紋一周。足飾雲雷紋和三角形紋。
現藏美國華盛頓賽克勒美術館。

亞㠱鼎

商
河南安陽市郭家莊160號墓出土。
高21、口徑17.1厘米。
鼓腹，略分襠，腹部飾以雲雷紋爲地的獸面紋三組。器口下內壁有銘文。
現藏中國社會科學院考古研究所。

亞鼎鼎

商
傳河南安陽市出土。
高20.7、口徑17厘米。
頸下飾以雲雷紋襯地的獸面紋一周，上下以聯珠紋帶爲欄。腹内壁有銘文“亞鼎”二字。
現藏上海博物館。

獸面紋鼎

商
傳河南安陽市出土。
高15.5、口徑11.7厘米。
頸下飾雷紋一周，腹部滿飾三組獸面紋。
現藏上海博物館。

亞魚鼎

商

河南安陽市孝民屯1713號墓出土。

高19、口徑17厘米。

頸下飾雲雷紋一周，腹飾三組淺浮雕獸面紋、龍紋，以雲雷紋爲地。器内壁有銘文三行。此鼎爲第一件正式考古發掘所得商代有紀年銘文的銅器。

現藏中國社會科學院考古研究所。

京鼎

商

河南安陽市孝民屯2065號墓出土。

高15.5、口徑13.3厘米。

頸下飾雲雷紋一周，腹飾三對龍紋組成的獸面紋，以雲雷紋襯地。腹内壁有銘文一字。

現藏中國社會科學院考古研究所。

向陽淺腹扁足鼎

商

河南鄭州市向陽回族食品廠出土。

高31.7、口徑19厘米。

鼎的身足平面呈四點配列。弧頂實立耳，斜折沿，腹微外鼓，圜底，腹下接三個尖端扁足。腹中部飾以一周反捲雷紋爲主紋，上下以聯珠紋爲界，扁足上滿飾夔目紋。扁足鼎在商早期較爲少見，向陽扁足鼎是這類銅鼎的最早實例。

現藏河南省文物研究所。

獸面紋扁足鼎

商

高19.4、口徑16厘米。

深腹，三夔紋扁足。腹飾獸面紋一周，扁足的獸頭承托鼎腹。

現藏上海博物館。

父庚鼎

商

傳河南安陽市出土。

高27.3、口徑21.4厘米。

頸下飾獸面紋一周。口沿内壁鑄銘文。

現藏南京博物院。

獸面紋扁足鼎

商

高21、寬18.3厘米。

頸飾獸面紋一周，獸形扁足飾夔紋。

現藏故宮博物院。

獸面紋扁足鼎

商
河南安陽市殷墟小屯333號墓出土。
高19.4、口徑16.2厘米。
深腹，圜底，扁尖足。頸下飾獸面紋一周，上下以聯珠紋爲界，足飾雲目紋。
現藏臺灣“中央研究院歷史語言研究所”。

獸面紋扁足鼎

商
河南漯河市郾城區攔河潘出土。
高14.7、口徑17厘米。
淺腹，圜底，三夔形扁足。器表從上至下分别被斜角目雲紋、獸面紋和夔紋占滿。
現藏河南省漯河市郾城區許慎紀念館。

正鼎

商

高35.5、寬21.8厘米。

夔形高扁足。腹飾夔紋，雷紋襯地，足飾目紋及雲雷紋。内底鑄銘“正”字。現藏故宫博物院。

斜角雲紋扁足鼎

商

河南安陽市殷墟小屯18號墓出土。

高19、口徑13.9厘米。

淺腹，圜底，龍形扁足。頸下飾斜角雲雷紋及目紋六組。足飾龍紋。

現藏中國社會科學院考古研究所。

婦好鳥足鼎

商

河南安陽市殷墟婦好墓出土。

高13.7、口徑12厘米。

淺腹，圜底，鳥形足。頸下飾細扉棱六道，間飾獸面紋三組。鳥身向外，圓眼勾喙，短翅長尾。

現藏中國社會科學院考古研究所。

疋未扁足鼎

商

河南安陽市戚家莊269號墓出土。

高16、口徑13.7厘米。

扁平龍紋實足，龍頭箕張承托鼎底。頸下飾對稱扉棱六道，間飾龍紋組成的獸面紋三組，内壁中上部一側鑄銘文二字。

現藏河南安陽市文物工作隊。

父乙鼎

商

河南安陽市孝民屯1573號墓出土。

高19.5、口徑15.8厘米。

腹飾以雲雷紋襯地的蟬紋，上下各飾目雷紋帶一周。腹内有銘文三字。

現藏中國社會科學院考古研究所。

獸面紋大方鼎

商

山西平陸縣崖底村前莊出土。

高82、口長50厘米。

鼎平面呈正方形，鼎係渾鑄成形，空槽狀立耳，斜折沿，深直腹，平底接上粗下細的空足。花紋簡練，腹外飾乳釘紋，乳釘在壁面呈凹字形布列；靠上部飾一道凸綫組成的獸面紋，獸面紋在四中四隅各一。鼎足中部偏上也飾獸面紋一周，其上下各有凸弦紋一道。

現藏山西省考古研究所。

獸面紋大方鼎

商

河南鄭州市張寨南街杜嶺出土。

高100、口長62.5厘米。

鼎平面均呈正方形，立面呈口略大于底的斗狀。雙耳立于鼎側邊的口沿中部，耳外壁作凹槽狀。器身每面左右及下部邊緣，均飾以乳釘紋；在器身中部偏上處則飾一周獸面紋。鼎足上粗下細，上空下實。足外上端飾獸面紋，下端飾凸弦紋。

現藏中國國家博物館。

獸面紋方鼎

商

河南鄭州市向陽回族食品廠出土。

高81、口長55、寬53厘米。

兩拱耳外側有凹槽。斗形方腹，四足中空。腹部飾獸面紋和乳釘紋。

現藏河南省鄭州市博物館。

司母辛大方鼎

商

河南安陽市殷墟婦好墓出土。

高80.1、口長64、寬48厘米。

立耳厚實，折沿方唇，中腹直壁，下腹略收，平底粗足，足空透底，器身轉角及相應的柱足上部均施扉棱。口沿下紋帶以每面中央短扉棱和四角扉棱爲中心各飾一雲雷紋地的饕餮紋，其下靠近器身邊角各飾乳釘紋三行。柱足上段也飾以扉棱爲鼻的饕餮紋。鼎内後壁鑄有“司母辛”的銘文。該銘文説明，司母辛方鼎是婦好死後專門鑄造以供隨葬的器物，其年代在商王武丁晚期。是年代比較明確的商代大方鼎。

現藏中國國家博物館。

司母戊大方鼎

商

河南安陽市武官村出土。

高133、長166、寬79厘米。

鼎平面呈長方形。形制爲立耳、直腹、平底、柱足。雙耳厚實，口沿寬大，柱足粗巨而上部中空，器身轉角處及相應的鼎腿上部飾扉棱。整體形態高大厚重，雄渾莊嚴。鼎上紋飾，耳廓以人面爲中心，旁列對稱的雙虎；耳輪排列首尾相連的飛獸；器身中爲素面，周邊飾對稱的饕餮紋和夔龍紋；鼎足上部有饕餮紋。除鼎足外，所有動物紋樣均以雲雷紋襯底，層次豐富。在鼎的內壁上，鑄有“司母戊”的銘文。通過與司母辛大方鼎的比較，學術界多認爲該器爲商王祖庚或祖甲爲其母“妣戊”而作。

現藏中國國家博物館。

牛方鼎

商

河南安陽市殷墟西北崗1004號大墓出土。

高74、口長64厘米。

與鹿方鼎成對。立耳，折沿方唇，腹壁近直，底部微凹，柱足粗巨而中空。器身中心及轉角處施扉棱。耳以陽綫組成獸面及大小夔龍，腹壁近口沿處飾饕龍紋一周，其下及柱足上部以牛首爲主紋，主題紋樣下均以雲雷紋襯底。在鼎内底部鑄有象形的“牛”字。鼎上主題紋樣有文字作“注釋”，這些對于認識商周銅器動物紋樣和象形文字的含義具有重要的啓迪作用。

現藏臺北故宫博物院。

鹿方鼎

商

河南安陽市殷墟西北崗1004號大墓出土。

高62、口長52厘米。

形態與牛方鼎同，鼎外壁滿布花紋：耳以陽綫組成獸面及大小夔龍，腹壁近口沿處飾饕龍紋一周，其下及柱足上部以鹿首爲主紋，其旁附以紋符作陪襯；器身主題紋樣下均以雲雷紋襯底。在鼎内底部鑄有象形的“鹿”字，以與鼎上的主題紋樣相呼應。

現藏臺北故宮博物院。

徙方鼎

商

河南温縣小南張村出土。

高22.5、口長17.5、寬14厘米。

腹飾對稱扉棱八道，間飾鳥紋、獸面紋。腹内壁鑄一“徙”字。

現藏河南博物院。

亞醜父己方鼎

商

高22.7、寬18.3厘米。

頸飾鳥紋，腹飾獸面紋，均以雲雷紋襯地。足飾雲雷紋和垂葉紋。器内鑄銘文“亞醜父己”四字。

現藏故宫博物院。

爰方鼎

商
河南安陽市戚家莊269號墓出土。
高22.5、口長17厘米。
兩耳外側均飾陰綫龍紋，腹飾對稱扉棱八道，間飾鳥紋、獸面紋，均以雲雷紋襯地。足飾雲紋、三角紋。器內壁一長邊中部鑄銘文一字。
現藏河南省安陽市文物工作隊。

父戊方鼎

商
傳河南安陽市出土。
高22.4、口長13.5、寬17厘米。
頸下飾鳥紋，中間扉棱相隔，下以乳釘紋爲框，內填勾連雷紋，足上端飾獸面紋。腹內壁鑄銘文兩字。
現藏上海博物館。

亞址方鼎

商

河南安陽市郭家莊160號墓出土。

高21.6、口長16.6、寬13.5厘米。

頸下飾鳥紋，中以扉棱相隔。腹中部飾勾連雷紋，其兩側及下方爲乳釘紋，四足上部飾獸面紋。底中部有銘文。

現藏中國社會科學院考古研究所。

𠫬方鼎

商

山西靈石縣旌介村出土。

高17.3、口長12.8、寬10.8厘米。

腹飾對稱扉棱八道，間飾龍紋、連續三角雲紋。腹内鑄一“𠫬”字。

現藏山西博物院。

寢孳方鼎

商

山西曲沃縣曲村北6080號墓出土。

高25.5、口長19.5、寬16厘米。

弧頂立耳，斜折沿，方唇，直腹壁，弧形底，下接較高的四條實心柱足。鼎腹的四中四隅設扉棱，壁面飾以雲雷紋地的主題花紋兩層：上層爲相對的四鳥或二鳥，下層爲大彎角獸面。鼎足上另有陰綫的對捲雲紋及垂角紋。在鼎内前後壁鑄有銘文共四行二七字：“甲子，王賜寢孳賞，用作父辛尊彝。在十月又二遘祖甲協日，唯王二十祀。”

現藏山西省考古研究所。

小臣缶方鼎

商

高29.6、口長22.5厘米。

鼎體量不大，立耳折沿，深腹下收，直壁，柱足較細。腹的四中四隅各施一道長扉棱，腹壁紋飾分上下兩層：上層爲相對的鳳鳥紋，下層爲捲角大獸面紋，主紋下還襯以雲雷紋。四足飾以陰綫的雲紋和垂葉紋。内壁鑄有銘文四行二十二字，記王賜小臣缶貝事。

現藏故宫博物院。

禺方鼎

商

山東濟南市長清區出土。

高22.9、口長16.6厘米。

方鼎兩件成對，立耳，方唇，有頸，腹部微鼓，柱足。頸部四中和頸、腹部的四隅各施扉棱一段。頸部以四中扉棱爲中心飾相對的雲雷紋地夔龍紋，腹部各飾一雲雷紋地的大獸面紋，足飾雲紋及垂葉紋。器内壁鑄有銘文一行，其首尾二字爲族氏名稱，前一字在同出的其他有銘銅器上都可見到，當是器主所屬族氏。

現藏山東省博物館。

婦好扁足方鼎

商

河南安陽市殷墟婦好墓出土。

高42.3、口長34.1厘米。

長方形口，立耳，折沿，方唇，腹較淺，直壁向下微收，平底，夔形捲尾實足。鼎腹四中四隅飾扉棱，并以腹中扉棱爲中綫各飾一外捲角大獸面，其中前後兩面獸面紋旁還填有頭下尾上的夔龍紋，與鼎足上頭上尾下的夔龍紋相呼應。獸面及夔龍紋均以雲雷紋爲地，其上以陽綫的捲雲、重環、直綫紋修飾。鼎内底鑄圖案化的“婦好”銘文。扁足鼎多爲圓形，扁足方鼎極爲罕見。現藏中國國家博物館。

獸面雙弦紋鬲

商

湖北武漢市黃陂區盤龍城遺址李家嘴2號墓出土。

高18、口徑12厘米。

耳足呈四點配列。寬斜折沿，階級沿面，沿邊立二小耳，耳微内傾。腹壁圓鼓，袋足分檔，下接較粗的高錐足。肩部飾陰綫的獸面紋一周，其下爲雙陽綫大折角紋。獸面紋計三單元，爲當時流行的雙魚尾樣式。

現藏湖北省博物館。

無耳素面鬲

商

湖北武漢市黃陂區盤龍城遺址楊家灣6號墓出土。

口徑15.2厘米。

器壁很薄，體態較高。造型爲低領寬沿，沿面近平，斜腹分檔，檔綫較高，下接高高的空錐足。肩部飾雙綫弦紋，其下爲雙綫交叉紋。鬲的造型古樸，年代可早到二里崗下層期，是少見的商代初期的銅鬲。

現藏湖北省博物館。

樊籬紋鬲

商

河南鄭州市楊莊出土。

高19、口徑13.5厘米。

寬折沿，深腹，接錐狀空足。頸飾弦紋，腹飾交錯斜綫組成的樊籬紋。

現藏河南博物院。

獸面紋鬲

商

河南輝縣市琉璃閣出土。

高18、口徑14.4厘米。

深鼓腹，微分襠，錐足。頸飾獸面紋，腹飾連續雙綫人字紋。

現藏中國國家博物館。

雷紋鬲

商
河南新鄭市望京樓出土。
高18.5、口徑14厘米。
深鼓腹，微分襠，三錐足中空。頸飾單綫雷紋一周，上下以聯珠紋爲界。
現藏河南省新鄭市文物保管所。

人字紋鬲

商
河南鄭州市楊莊出土。
高20、口徑15.6厘米。
深腹，下部微分襠，三空錐狀足。頸飾弦紋，腹外壁飾雙綫“人”字紋。
現藏河南博物院。

耳鬲

商

高22、口徑15.4厘米。

耳足呈四點配列。立耳內傾，侈口捲沿，袋足高襠，錐足中空。頸飾凸弦紋三道，腹足飾相連的雙綫人字紋。器口內沿處鑄有銘文“耳”字（或釋“鉞”、“亘”等）。

現藏中國國家博物館。

雲雷紋鬲

商

陝西岐山縣京當鄉出土。

高21.2、口徑15.2厘米。

折沿繩狀立耳，分襠袋足，錐狀實心足尖。頸飾一周雲雷紋，以聯珠紋爲界紋，襠飾連續雙綫人字紋。

現藏陝西省岐山縣博物館。

獸面紋鬲

商

高15.2厘米。

高分襠，圓錐狀尖足。頸下飾夔形獸面紋，腹飾雙目紋組成的簡單獸面，襠飾連續雙綫人字紋。

現藏美國舊金山亞洲藝術博物館。

獸面紋鬲

商

山西洪洞縣上村出土。

高15.7、口徑13.6厘米。

盤形口，直沿，深腹，淺分襠，三錐形足。頸下飾獸面紋一周，腹飾三組獸面紋。

現藏山西省考古研究所。

獸面紋鬲

商

高19.2、口徑14.6厘米。

袋形分襠，粗短空錐足。頸飾變形夔紋一周，腹飾三組獸面紋，均以聯珠紋爲界紋。

現藏上海博物館。

獸面紋鬲

商

傳河南安陽市出土。

高14.6、口徑11.1厘米。

小立耳，袋腹豐滿，實心小錐足。頸飾雷紋，袋腹飾以雷紋襯地的獸面紋三組。

現藏上海博物館。

獸面紋鬲

商

傳河南安陽市出土。

高28.8厘米。

頸飾目紋，袋腹各飾一組獸面紋。

現藏美國華盛頓賽克勒美術館。

獸面紋鬲

商

傳河南安陽市出土。

高18.2厘米。

頸飾蛇紋一周，袋腹滿飾獸面紋和龍紋。

現藏瑞典國立藝術博物館。

獸面紋鬲

商

傳安徽阜南縣出土。

高23.2、口徑15.3厘米。

頸飾獸體目紋一周，袋腹分飾三組獸面紋。

現藏上海博物館。

獸面紋鬲

商

高21、口徑14.8厘米。

高頸飾雲紋一周，袋腹滿飾勾雲紋組成的獸面紋，以一彎鈎形扉棱爲鼻。

現藏上海博物館。

作册兄鬲

商

河南安陽市郭家莊50號墓出土。

高22.4、口徑12.3厘米。

立耳，侈口，束頸，鼓腹，分襠，三足上粗下細，截面呈橄欖形。頸飾龍紋三組，上下以聯珠紋爲界紋。腹飾三組獸面紋，以扉棱爲鼻。口沿内壁有銘文三字。

現藏中國社會科學院考古研究所。

獸面紋鬲

商

陝西華縣桃下村出土。

高35.5、口徑22.5厘米。

頸飾三組獸面紋，腹飾三組以勾曲形扉棱爲中心的浮雕牛角獸面紋。

現藏陝西歷史博物館。

無耳雲目紋甗

商
湖北武漢市黄陂區盤龍城遺址李家嘴2號墓出土。
高36、口徑22厘米。
體態瘦高，寬沿，沿面近平，肩部微鼓，中腰收束，分檔高足，足尖中空。甗腰内有固定的箅子，箅中間是大圓孔，周邊腰托有八個方鏤空。甗的甑部肩上飾陽綫的三單元雲目紋，鬲部飾雙綫大折角紋。甗的造型古樸，是目前所知年代最早的銅甗。
現藏湖北省博物館。

素面甗

商
内蒙古赤峰市松山出土。
高44、口徑26厘米。
口、腹呈圓三角形，聯襠下接柱狀實足。
上腹飾三道凸弦紋，餘皆素面。
現藏内蒙古自治區文物考古研究所。

獸面紋甗

商
陝西禮泉縣朱馬嘴村出土。
高70、口徑43厘米。
甑部較短，立耳，盤狀寬沿，束腰；鬲部高瘦，空足，高襠。口沿下施間以三扉棱的獸面紋一周，鬲足上部飾以扉棱爲中綫的三個獸面，下部飾弦紋三周。花紋以細綫構成，這在大型銅甗花紋中顯得有點特別。
現藏陝西省昭陵博物館。

婦好分體甗

商

河南安陽市殷墟婦好墓出土。

通高35.3厘米，甑部高14.3、口徑24厘米，鬲部高22、口徑13.8厘米。

甗由兩部分上下套合而成。甑部形如帶雙扳的深腹盆，敞口捲沿，器壁内收，平底上有三角形孔四個。其外壁飾相從的捲尾鳥紋一周，下飾三角形垂葉紋；内壁鑄有“婦好”記名銘文。鬲部小口外侈以納甑底，平肩出檐，分襠柱足，腹壁飾雙重人字形凸弦紋。

現藏中國國家博物館。

好甗

商

河南安陽市殷墟婦好墓出土。

高78.1、口徑46.4厘米。

腰部内壁有一略呈橢圓形的箅架，箅已遺失。口沿下飾獸面紋一周，間飾扉棱六道，口下内壁有銘文。

現藏中國社會科學院考古研究所。

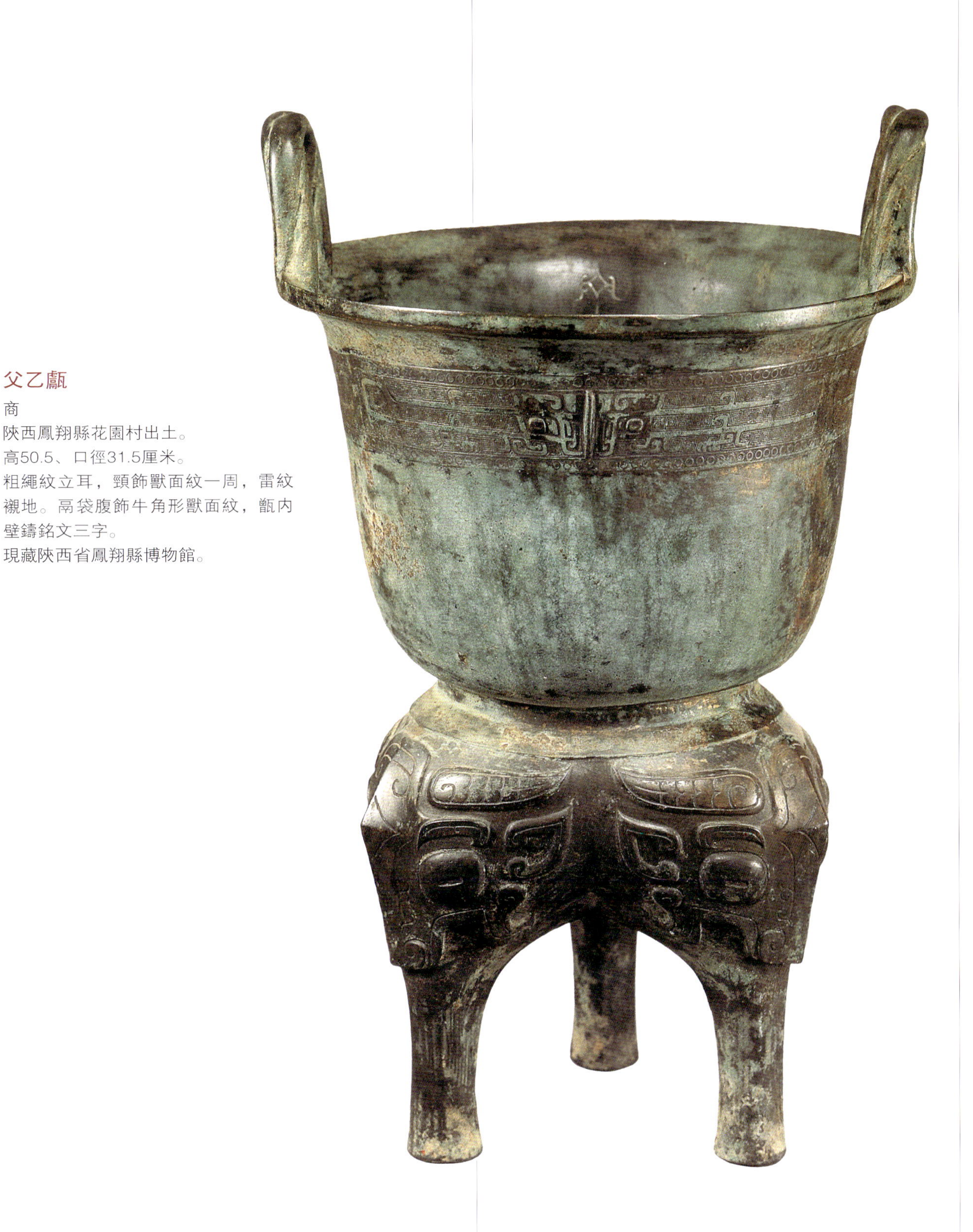

父乙甗

商

陝西鳳翔縣花園村出土。

高50.5、口徑31.5厘米。

粗繩紋立耳，頸飾獸面紋一周，雷紋襯地。高袋腹飾牛角形獸面紋，甑內壁鑄銘文三字。

現藏陝西省鳳翔縣博物館。

婦好三聯甗

商

河南安陽市殷墟婦好墓出土。

通高68、全長103.7厘米。

由三件大甑和一件异形鬲組成。外形好似上面放了三件器物的帶足禁。甑爲圓形，敞口，無肩，斜腹，凹底，底上有扇形孔三個，腹上部設對稱的獸首耳。鬲部呈扁長方體，中空，上開三個帶頸圈口以內甑底，下接六條實足以托起鬲而受火。甗上紋飾：二甑部口下飾有雲雷紋和圓渦紋襯托的對龍紋；鬲部上面以繞圈足的蟠龍紋爲主題，其間填以獸面，其下以雲雷紋爲地，四周則以相間的夔龍紋和圓渦紋組成上層紋帶，下層則垂以大三角紋。在每個甑上及鬲部中間圈口的內壁鑄有“婦好”的圖案化銘文。此甗形態奇异，體長器重，一器同時可以蒸三甑或三種食品。它是商周時期罕見的巨形炊器。現藏中國國家博物館。

提耳釜

商

傳河南安陽市高樓莊出土。

高24.7、口徑31.4厘米。

形制爲侈口、直肩、收腹、平底，肩兩側有雙鈕，內套活動的提梁耳。口下飾三角紋及方格雷紋。這是唯一的現已發現的商代銅釜。

現藏中國國家博物館。

婦好甗形器

商

河南安陽市殷墟婦好墓出土。

高15.6、口徑31厘米。

沿面有凹槽，可置蓋。腹部有對稱附耳。底略內凹，中部有一圓柱形中空透底銅柱，柱頂四瓣花狀，中心凸起，周邊有四個瓜子形鏤孔。頸飾鳥紋，腹飾連續三角紋。口下內壁有銘文。

現藏中國社會科學院考古研究所。

獸面紋小耳簋

商

湖北武漢市黄陂區盤龍城遺址出土。

口徑24.8、底徑16.4厘米。

口沿斜平，中腹微鼓，圈足較低，頸腹間有對稱的獸首小耳。口沿下飾兩道弦紋，腹部滿飾細綫條獸面紋，圈足上也有兩道弦紋，并有鏤孔。

現藏湖北省博物館。

鳥紋簋

商

河南安陽市殷墟婦好墓出土。

高23、口徑33.5厘米。

半圓獸首形雙耳，口下中部兩面各有一凸起獸頭，兩側飾鳥紋和獸面紋，圈足亦飾鳥紋，周壁有三條短棱。

現藏中國社會科學院考古研究所。

三耳簋乳釘雷紋

商

高19.1、口徑30.5厘米。

腹三等分分置三耳，耳上端做人面獸角形。頸飾目雷紋，腹飾乳釘雷紋，圈足飾獸面紋。

現藏故宮博物院。

母己簋

商

河南安陽市孝民屯1573號墓出土。

高14.3、口徑15.5厘米。

獸耳有垂珥，頸部有二浮雕羊頭，兩側間以相對鳥紋，圈足飾龍紋組成的獸面紋。器底有銘文三字。

現藏中國社會科學院考古研究所。

獸面紋簋

商

高12.7厘米。

口沿下飾連續三角蟬紋，頸飾鳥紋一周，前後各浮雕一獸耳。腹飾獸面紋，圈足飾龍紋，通體以雷紋襯地。

現藏美國舊金山亞洲藝術博物館。

戈父丁簋

商

高15、口徑22.8厘米。

口沿下飾規整雷紋，前後居中各有一浮雕獸頭，腹部滿布乳釘雷紋，圈足飾鳥紋一周，間飾扉棱。腹銘三字“戈父丁”。

現藏上海博物館。

枚父辛簋

商

高18、寬25.1厘米。

獸耳有垂珥，通體以雷紋襯地。頸、圈足飾夔龍紋，頸前後兩面中部浮雕獸首，腹飾獸面紋，雙耳内飾蟬紋，器外底飾凸起的蟠龍紋。内底鑄“枚父辛”三字。

現藏故宫博物院。

奺簋

商

陜西清澗縣解家溝出土。

高14.5、口徑20.1厘米。

獸首耳下有鈎形垂珥。口沿下飾連續三角雲紋一周，頸飾顧首龍紋，前後浮雕獸首。腹飾乳釘雷紋，乳釘做尖突形，圈足飾顧首龍紋一周。腹内底鑄“奺”字。

現藏陜西省綏德縣博物館。

亞矣簋

商

高11.7、口徑16.9厘米。

雙耳上端獸首碩大，垂珥較小，頸飾目雷紋一周，前後中部各浮雕一獸首，腹飾乳釘雷紋，圈足飾獸體目紋。腹内銘有“亞矣”二字。

現藏上海博物館。

爰簋

商

河南安陽市戚家莊269號墓出土。

高15.4、口徑19.8厘米。

獸首形耳，口沿下飾連續三角紋一周。頸飾鳥紋四組，頸中部兩側浮雕獸頭各一。腹、圈足均飾獸面紋，間飾扉棱。器内底鑄銘文一字。

現藏河南省安陽市文物工作隊。

執簋

商

高14.7、口徑19.6厘米。

獸首形耳。口沿下飾連續三角蟬紋一周，頸飾鳥紋，間飾浮雕獸首，腹飾獸面紋，高圈足飾鳥紋，均間飾扉棱。雙耳内各有一銘文“執”字。

現藏上海博物館。

騾簋

商

山西靈石縣旌介村1號墓出土。

高17.7、口徑25厘米。

簋爲短折沿，深斜腹，折壁式圈足，兩側施無珥的獸首雙耳。簋上花紋分頸、腹、足三條紋帶：頸部以前後兩個凸起的虎頭爲中心，旁飾對稱的鳥紋；腹部前後各飾一折角獸面紋，獸面中央有凸起的扉棱；圈足在四扉棱間各飾一夔龍紋。所有主題紋樣均以雲雷紋襯地。在簋圈足内的器底，鑄有一似馬又似驢的動物形象，或以爲是“驢父馬母”的騾，可備一説。

現藏山西省考古研究所。

肄簋

商

傳河南安陽市出土。

高16、口徑21.5厘米。

雙耳飾獸首，垂珥。頸飾相間渦紋、龍紋，腹飾竪棱紋，圈足間飾渦紋與柿蒂紋。器内底有銘文五行。

現藏美國華盛頓賽克勒美術館。

獸面紋無耳簋

商

湖北武漢市黄陂區盤龍城遺址出土。

高23.7、口徑27.1、底徑15.6厘米。

簋爲無耳深腹型，斜折沿，沿面呈階狀，弧腹下收，底接低圈足。足上有鏤孔，肩上飾帶狀單層寬綫條獸面紋。

現藏湖北省博物館。

𤔲侯無耳簋

商

河南安陽市殷墟小屯18號墓出土。

高13、口徑19.7厘米。

口沿下飾連續三角雲雷紋，頸飾三組鳥紋，間飾浮雕獸頭。腹飾百乳雷紋。圈足飾三組獸面紋及鏤孔。器底中部有銘文二字。

現藏中國社會科學院考古研究所。

黄簋

商

傳河南安陽市出土。

高15.3、口徑22.4厘米。

口沿下飾連續蕉葉紋帶，下連獸體目紋一周，間飾三浮雕獸首，腹飾乳釘雷紋，圈足飾鳥紋一周。腹内底鑄銘文一字。

現藏上海博物館。

子庚簋

商
傳河南安陽市出土。
高15.2、口徑19.4厘米。
頸、腹、圈足分別飾扉棱六道。沿下飾蕉葉三角紋，頸、圈足均飾浮雕鳥紋，腹飾高浮雕獸面紋。器內有銘文二字。
現藏河南省新鄉市博物館。

癸𠙵簋

商
河南安陽市出土。
高12.7、口徑12.8厘米。
器飾扉棱，通體以雷紋襯地。口下飾蕉葉紋，頸飾目雷紋，腹、圈足飾獸面紋。器內鑄銘文“癸𠙵”二字。
現藏故宮博物院。

韋簋

商

傳河南安陽市出土。

高14厘米。

通體飾六條對稱扉棱，以雷紋爲地。口下飾三角蟬紋一周，頸飾鳥紋，間飾浮雕獸頭。腹飾三組獸面紋，圈足飾龍紋。器内有銘文一字。

現藏美國華盛頓弗利爾美術館。

車簋

商

傳河南安陽市出土。

高13.8、口徑19.3厘米。

頸飾鳥紋一周，間飾三個浮雕獸首。腹飾竪條紋。圈足飾龍紋，足底有一凸起的浮雕人頭。器内有銘文一字。

現藏河南省新鄉市博物館。

融簋

商
山東青州市蘇埠屯村8號墓出土。
高21.7、口徑25.3厘米。
短沿斜折，方唇，中腹，腹壁微內收，圈足較高而足面斜侈。紋飾以簋腹上雲雷紋地的斜格乳釘紋爲主體，其上口沿下以二對稱的獸面爲中心飾以帶目雲雷紋，其下圈足上飾以雲雷紋地的獸面紋。在簋内底中部，鑄有族名文字“融”（從二鬲二蟲）。作爲族名的“融”有可能就是傳説中的天神祝融。
現藏山東省博物館。

寢小室盂

商
河南安陽市武官1400號墓出土。
高41.3、口徑40.2厘米。
敞口，深腹，圈足，腹兩側有附耳一對。蓋、頸各飾鳥紋一周，腹飾三角形變形龍紋。圈足飾龍紋。蓋内有銘文四字。
現藏臺灣“中央研究院歷史語言研究所”。

四龍中柱盂

商

河南安陽市武官1005號墓出土。

高15.7、口徑25.7厘米。

雙附耳，器內中央立一柱，柱頂呈花朵狀，柱上套一環，連以四龍，可繞中柱旋轉。腹外側飾夔龍目雲紋，圈足飾獸面紋。同墓共出兩器。

現藏臺灣“中央研究院歷史語言研究所”。

亞醜父丁簋

商

高23.3、寬30厘米。

球體深腹，獸首形對耳。蓋有圓形抓手，上有二方形穿孔。蓋沿、器頸均飾渦紋、四瓣花紋相間紋帶。內底鑄銘一行四字“亞醜父丁”。

現藏故宮博物院。

㽙簋

商

傳河南安陽市出土。

高17.4、寬21.2厘米。

球形體，肩部對飾貫耳。蓋頂圓形抓手有二穿孔。蓋飾勾連雷紋，頸飾斜角目雷紋，腹飾方格勾連目雷紋，足飾雷紋。蓋內與器內底對銘“㽙”字。

現藏故宮博物院。

戲𦏁豆

商

高10、口徑10.7厘米。

腹深如碗。腹外在兩道凸弦紋間飾圓渦紋，內底鑄銘文二字。

現藏首都博物館。

渦紋豆

商

山東濟南市長清區興復河出土。

高10.2、口徑19.8厘米。

豆盤爲平沿無唇，深腹直壁，豆柄粗矮。盤外上下各有弦紋兩道，其間飾圓渦紋。其紋飾當仿自漆豆鑲嵌的蚌泡。銅豆在商文化中極少，此豆是珍貴的標本之一。

現藏山東省博物館。

獸面紋觚

商

河南新鄭市望京樓出土。

高15.5、口徑11.3厘米。

觚體粗短，腰部略收。腹部飾陽綫斜角雲目紋，上下以兩三道凸弦紋爲邊欄。圈足有三個十字形鏤孔。

現藏河南省新鄭市文物保管所。

獸面紋觚

商

河南鄭州市出土。

高15.7、口徑10厘米。

形態如腰部弧綫内收的圓筒，腹部兩排聯珠紋之間飾有細綫的獸面紋，聯珠紋外上下各有凸弦紋一至四道。

現藏河南省文物考古研究所。

鏤空雷紋觚

商

湖北武漢市黄陂區盤龍城遺址出土。

高16.5、口徑12.6厘米。

觚爲粗體型，侈口，體粗短，腹不顯，圈足下侈。頸飾三道弦紋，腹飾獸面紋，圈足上部爲鏤空雷紋，下爲斜角雲目紋。花紋皆爲單層寬綫條組成，虚實相間。

現藏湖北省博物館。

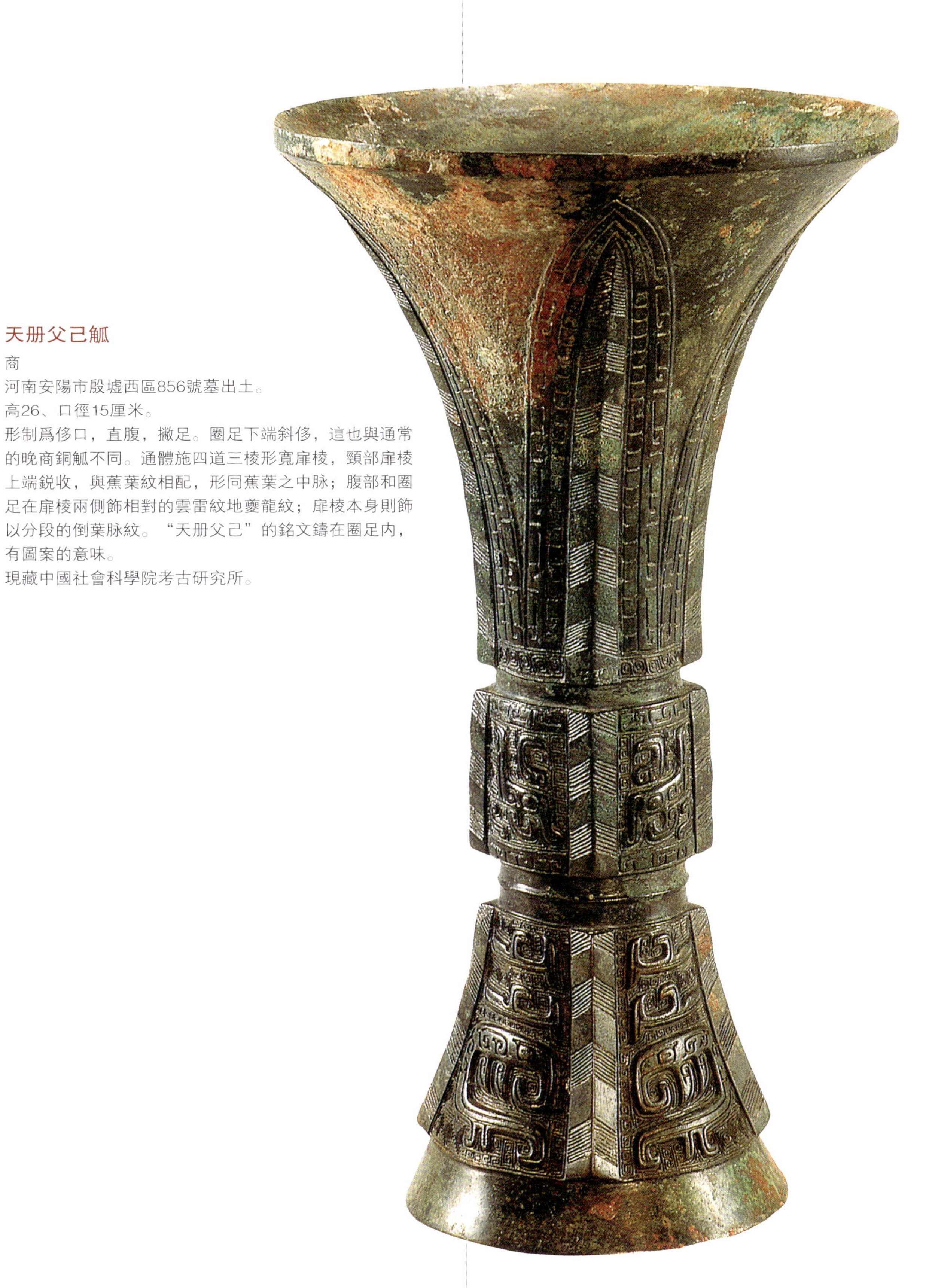

天册父己觚

商

河南安陽市殷墟西區856號墓出土。

高26、口徑15厘米。

形制爲侈口，直腹，撇足。圈足下端斜侈，這也與通常的晚商銅觚不同。通體施四道三棱形寬扉棱，頸部扉棱上端鋭收，與蕉葉紋相配，形同蕉葉之中脉；腹部和圈足在扉棱兩側飾相對的雲雷紋地夔龍紋；扉棱本身則飾以分段的倒葉脉紋。“天册父己”的銘文鑄在圈足内，有圖案的意味。

現藏中國社會科學院考古研究所。

祖己觚

商
河南安陽市孝民屯1080號墓出土。
高22.8、口徑13.6厘米。
腹及圈足均飾有以雲雷紋爲地紋的獸面紋。圈足内有銘文四字。
現藏中國社會科學院考古研究所。

獸面紋觚

商
安徽六安市出土。
高25.7、口徑13.8厘米。
器身細長。腰飾弦紋及單綫獸面紋，圈足飾弦紋和十字形鏤孔。
現藏安徽省博物館。

獸面紋觚

商

高20.7、口徑11.7厘米。

下腹飾獸面紋，并以聯珠紋爲欄，圈足底部有折棱，且有兩個對稱的十字形鏤孔。

現藏上海博物館。

婦觚

商

傳河南安陽市出土。

高25.6厘米。

頸飾蕉葉紋和雲雷紋，腹飾獸面紋，圈足透雕獸面紋，圈足内器底鑄銘文一字。

現藏美國華盛頓賽克勒美術館。

庚觚

商

高30.4、口徑16.2厘米。

腹及圈足均飾四道扉棱。頸部飾四條以雲雷紋和芒紋組成的蕉葉紋，其下飾一周螭蛇紋。腹部以相對夔龍紋組成兩個獸面紋，雷紋襯地。圈足飾有獸面紋和夔龍紋，亦以雷紋襯地。圈足內銘有“庚”字。

現藏北京市保利藝術博物館。

獸面紋觚

商

高29.7、口徑16厘米。

腹部飾獸面紋，其上飾兩道弦紋，其下飾兩道弦紋和十字形鏤孔，圈足飾變體龍紋。

現藏北京市保利藝術博物館。

龍紋觚

商

高30.2、口徑16.2厘米。

頸飾仰葉雷紋，腹飾對稱龍紋，圈足上飾蟬紋，下飾龍紋，均以雷紋爲地。

現藏河南博物院。

亞鳥觚

商

河南羅山縣蟒張鄉出土。

高32.2、口徑16.1厘米。

頸飾蕉葉形獸面紋，下飾蛇紋。腹、圈足飾獸面紋，間飾扉棱。圈足内鑄銘文“亞鳥”二字。

現藏河南省信陽市文物管理委員會。

婦好鏤空獸面紋觚

商

河南安陽市殷墟婦好墓出土。

高25.5、口徑14.2厘米.

觚一套六件，形制花紋相同，大小相差甚微，此爲其一。喇叭形口，長頸，直腹，寬腰，平底，矮斜座盤的圈足。腰上有兩個十字鏤孔，腹、足各飾扉棱四道。紋飾皆以雲雷紋爲地，頸上飾蕉葉紋四片，下飾雲雷紋帶一周，腹飾四條相對的倒夔紋，足飾鏤空獸面紋兩組，但左右不對稱。“婦好”的銘文鑄于圈足內壁。

現藏中國國家博物館。

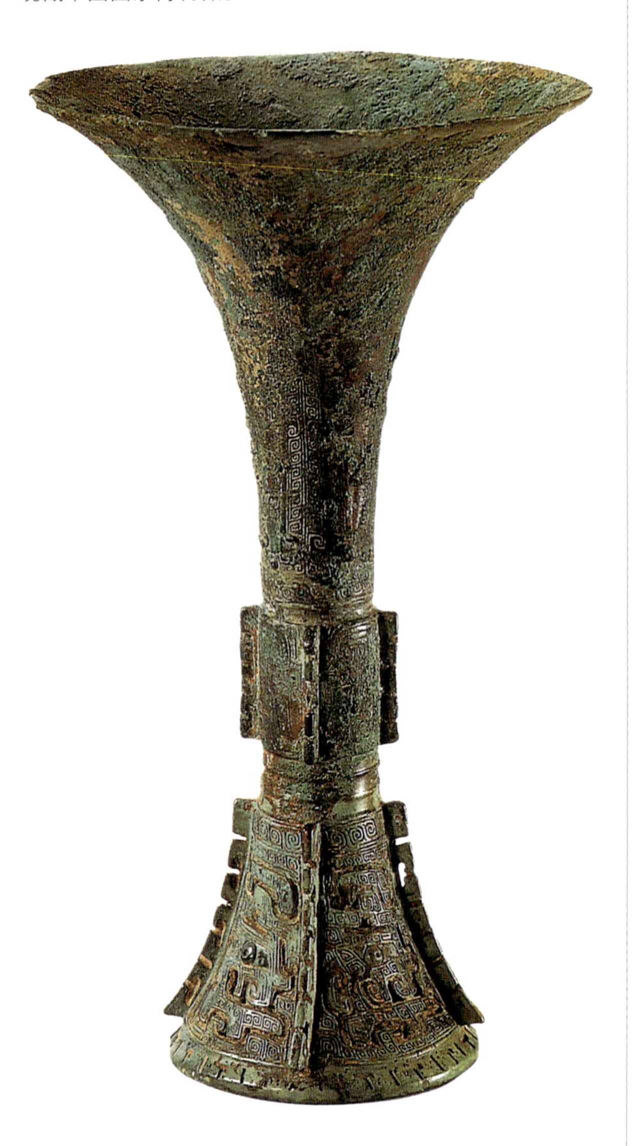

伐觚

商

河南安陽市殷墟小屯18號墓出土。

高28.8、口徑17.1厘米。

腹與圈足之間飾四個十字鏤孔，通飾扉棱四道。頸飾由雲雷紋、目紋構成的連續蕉葉紋一周。腹飾獸面紋，足飾龍紋和蛇紋。圈足內有銘文一字。

現藏中國社會科學院考古研究所。

獸面紋觚

商
河南安陽市大司空29號墓出土。
高27.8、口徑16.1厘米。
體細長，高圈足。頸下飾以雲雷紋爲地紋的蕉葉紋一周，腹、足皆飾由龍紋組成的獸面紋，以雲雷紋襯地，間飾扉棱。
現藏中國社會科學院考古研究所。

[illegible]觚

商
河南安陽市大司空663號墓出土。
高28.4、口徑16.7厘米。
高圈足。頸飾蕉葉紋，下接雲雷紋一周。腹與圈足皆飾獸面紋，間飾扉棱。圈足内壁有一銘文。
現藏中國社會科學院考古研究所。

告寧觚

商

河南安陽市孝民屯907號墓出土。

高29.4、口徑16厘米。

頸下飾蕉葉紋，腹、圈足皆飾以雲雷紋爲地的獸面紋，間飾扉棱，圈足上有十字形鏤孔。足内壁有銘文二字。

現藏中國社會科學院考古研究所。

戉馬觚

商

河南安陽市大司空267號墓出土。

高30.4、口徑7厘米。

頸飾蕉葉紋，下接一周蛇紋。腹及圈足皆飾獸面紋，以雲雷紋襯地，間飾扉棱。圈足飾十字鏤孔，内壁有銘文二字。

現藏中國國家博物館。

父甲觚

商

河南安陽市孝民屯1572號墓出土。

高31.3、口徑16.5厘米。

頸飾蕉葉紋，下接蛇紋，腹及圈足皆飾以雲雷紋襯地的獸面紋，以扉棱爲鼻。圈足上飾十字形鏤孔，内壁有銘文四字。

現藏中國社會科學院考古研究所。

寧觚

商

河南安陽市劉家莊2號墓出土。

高30.9、口徑17.5厘米。

頸飾蕉葉紋，下接蛇紋。腹、圈足皆飾以雲雷紋襯地的獸面紋，間飾扉棱。腹足間飾對稱假十字形鏤孔一對，足内壁鑄銘文一字。

現藏河南省安陽市文物工作隊。

㒸觚

商

傳河南安陽市出土。

高32、口徑15.8厘米。

頸飾蕉葉形獸面紋，下接蛇紋。腹與圈足皆飾以雷紋爲地的獸面紋，間飾扉棱。圈足上有對稱假十字形鏤孔一對。圈足内鑄銘文二字。

現藏上海博物館。

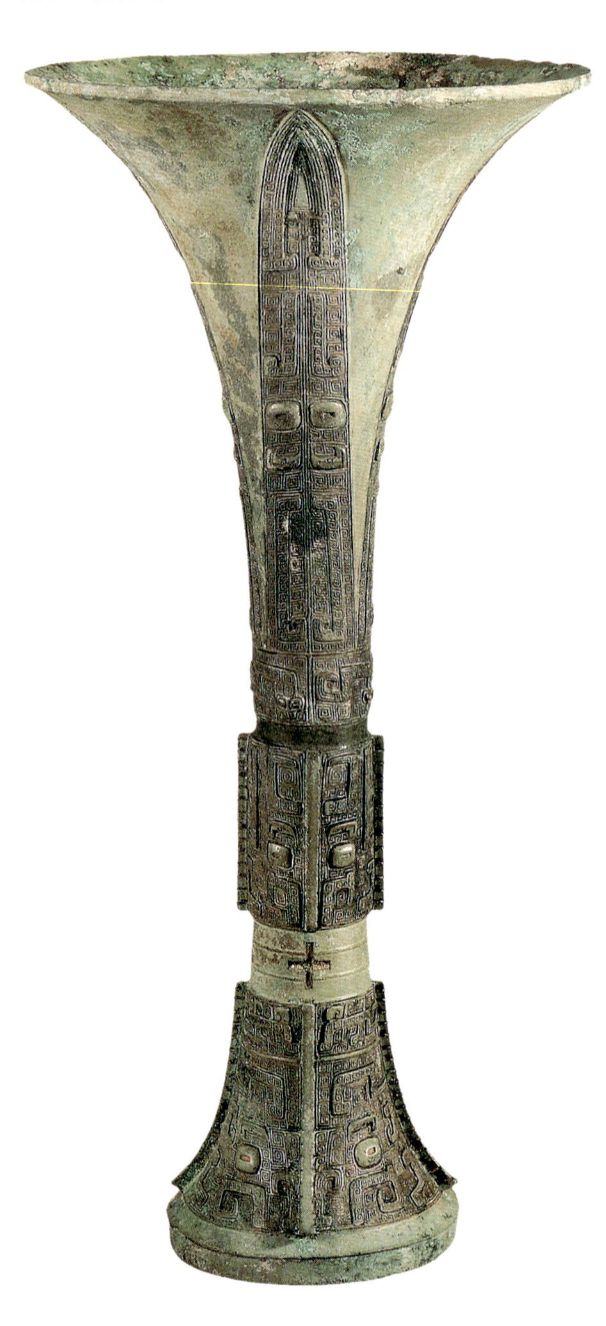

龔子觚

商

傳河南安陽市出土。

高27.6、口徑15.5厘米。

頸飾蕉葉紋，腹、足皆飾獸面紋，間飾扉棱。圈足内有銘文二字。

現藏上海博物館。

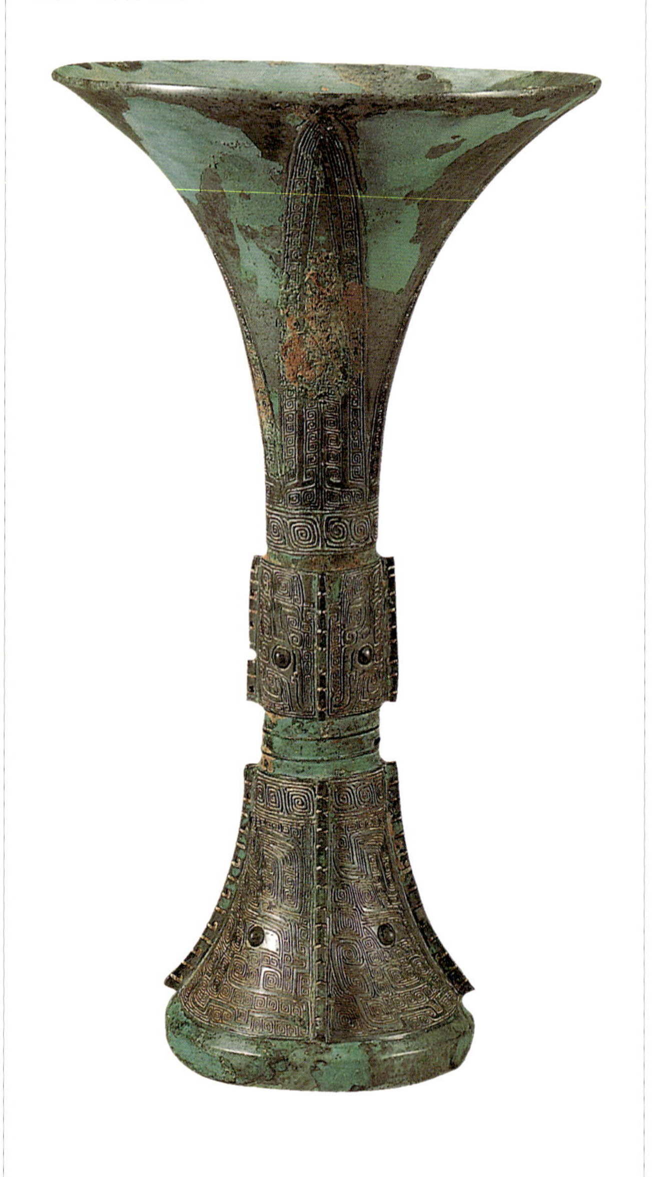

黄觚

商

傳河南安陽市出土。

高27.3、口徑16厘米。

頸飾蕉葉紋。腹飾以龍紋組成的獸面紋，扉棱爲鼻。腹、足間飾對稱十字形鏤孔，圈足透雕龍紋，内鑄銘文一字。

現藏上海博物館。

㕣觚

商

高26.5、寬15.5厘米。

腹、圈足均浮雕獸面紋。圈足上部對飾十字形鏤孔。足外壁鑄有“㕣”字。

現藏故宫博物院。

受觚

商

高26.4、寬14.8厘米。

大喇叭口，細腰，頸飾蕉葉紋、雷紋，腹、圈足飾扉棱四道。腹飾獸面紋，圈足上部有十字形鏤孔，下部鏤空透雕獸面紋。足內壁銘有“受”字。

現藏故宮博物院。

亞址方觚

商

河南安陽市郭家莊160號墓出土。

高30.3、口長15.5厘米。

觚口外侈近平，四隅及四中各有一道寬大的扉棱，扉棱至觚口沿仍向外延伸。頸飾蕉葉、獸面紋。腹、圈足皆飾獸面紋。足內有“亞址”的銘文。

現藏中國社會科學院考古研究所。

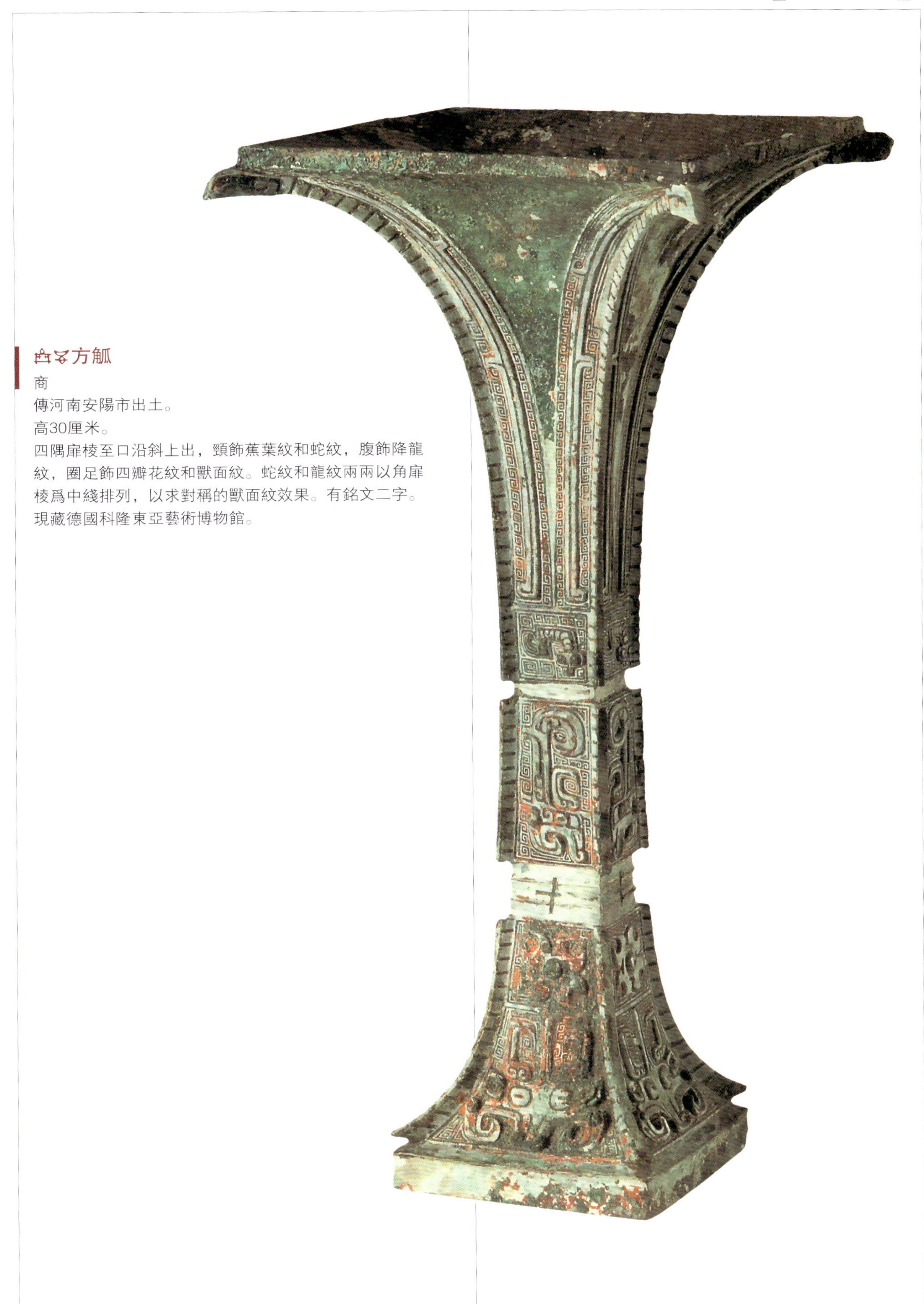

𠧴𠬝方觚

商
傳河南安陽市出土。
高30厘米。
四隅扉棱至口沿斜上出，頸飾蕉葉紋和蛇紋，腹飾降龍紋，圈足飾四瓣花紋和獸面紋。蛇紋和龍紋兩兩以角扉棱爲中綫排列，以求對稱的獸面紋效果。有銘文二字。
現藏德國科隆東亞藝術博物館。

斜角雷紋帶鋬觚

商

高13.5厘米。

觚體粗短，一側有長珥及地的牛首鋬，頸上部飾斜角雲紋，下腹飾有兩行聯珠紋。

現藏上海博物館。

四瓣花紋觶

商

河南安陽市殷墟婦好墓出土。

高18.2、口長9.7厘米。

弧頂菌狀鈕器蓋，斜領，短頸，鼓腹，矮圈足。器表滿布雲雷地紋的多種紋飾；蓋面及腹部飾四瓣花紋，口沿下飾蟬形蕉葉紋，頸飾對夔紋，足飾雲雷紋。此觶是現已發現的年代明確的最早銅觶之一。

現藏中國社會科學院考古研究所。

獸面紋觶

商

河南安陽市武官1022號墓出土。

高17厘米，口長9.2、寬6.9厘米。

橢圓形，侈口，束頸，鼓腹，圈足，有蓋，菌鈕。蓋面飾獸面紋、口下飾一周三角蟬紋，頸飾鳥紋，腹飾獸面紋，圈足飾雲雷紋。蓋、頸、腹均飾扉棱。

現藏臺灣“中央研究院歷史語言研究所”。

獸面紋觶

商

傳河南安陽市出土。

高13.8厘米，口長8.1、寬6.4厘米。

橢圓形器。蓋頂菌狀鈕面飾渦紋，口沿下飾三角形蟬紋，頸飾鳥紋，蓋、腹、圈足均飾獸面紋。

現藏上海博物館。

星小集母乙觶

商

河南安陽市大司空村53號墓出土。

口徑7.4–8.4厘米。

觶體矮胖，帶蓋，蓋如半球面，頂立菌形鈕。器身爲侈口束頸，圓肩圓腹，圈足外侈。鈕帽飾圓渦紋，蓋面飾相背的神面，頸上以相對的夔龍組成二獸面，肩腹部以二神面爲主，兩旁填以夔紋，足部以四條相對的夔龍組成紋帶。所有紋飾皆不用地紋。蓋内及器底鑄銘文“星小集母乙”，前三個符號爲族氏名稱，後兩字爲器主的日干廟號。

現藏北京大學賽克勒考古與藝術博物館。

衛父己觶

商

傳河南安陽市出土。

高17.2、口徑7.6–9.3、器高13.8厘米。

隆起的器蓋上設菌狀鈕，鈕蓋有旋渦紋，蓋面前後各飾一個大獸面紋。器身也滿布紋飾，從上至下分别爲：以王字紋爲中心，兩兩相對的夔鳳紋（頸部）；以大獸面紋爲主體，兩側配以頭上尾下的折身龍紋（腹部）；以王字紋爲中心，兩側爲相對的俯首翹尾的夔龍紋（足部）。所有紋飾，都不用底紋，給人以浮雕般的裝飾效果。在器蓋内有銘文三字“衛父己”。

現藏河南博物院。

戈觶

商

河南安陽市郭家莊東南1號墓出土。

高16.3、長8厘米。

蓋頂有環形鈕。蓋、頸均飾以聯珠紋爲界紋的雲雷紋一周，圈足亦飾雲雷紋。器底有一銘文。

現藏中國社會科學院考古研究所。

獸面紋觶

商

傳河南安陽市出土。

高19.3厘米，口長10、寬7.3厘米。

橢圓形器，蓋頂菌狀柱鈕面飾渦紋，蓋面飾獸面紋，頸飾蕉葉紋，下接渦紋、雷紋相間紋帶一周。腹飾獸面紋，足飾雷紋。

現藏上海博物館。

父乙觶

商

傳河南安陽市出土。

高17.8厘米，口長7.9、寬7厘米。

橢圓形器。自蓋至圈足飾扉棱四道，蓋、腹、圈足均飾獸面紋、口沿下飾三角紋，頸飾鳥紋，器、蓋均有銘文。

現藏上海博物館。

弜觶

商

傳河南安陽市出土。

高17.2厘米。

通體以雷紋襯地，上飾扉棱四道，蓋面和器腹飾獸面紋，頸飾三角紋，圈足飾雲雷紋。器底有銘文一字。

現藏美國舊金山亞洲藝術博物館。

鴞紋觶

商

傳河南安陽市出土。

高19厘米。

自蓋至足飾扉棱四道。四坡形蓋鈕，通體以雷紋襯地。蓋面飾龍紋，器壁飾鴞紋，圈足飾獸面紋。器內有銘文，漫漶無法辨識。

現藏美國舊金山亞洲藝術博物館。

融觶

商

山東青州市蘇埠屯出土。

高18.7厘米，口長8.8、寬7.8厘米。

口爲橢圓形，有蓋。蓋及器身起四條扉棱。腹和蓋部飾立鳥紋，雷紋襯地。頸和圈足飾由雷紋組成的變體獸面紋。蓋底對銘一“融”字。

現藏山東省博物館。

縱瓦紋觶

商

河南安陽市殷墟西區907號墓出土

高18.7、口長7.6厘米。

穹窿頂蓋，蓋頂有菌狀捉手。器爲侈口、曲頸、垂腹、兩段式高圈足。蓋鈕帽上飾圓渦紋，蓋面和器腹以縱瓦紋爲主體紋樣，頸以短扉棱爲中心飾雲雷紋地的對龍紋，其上爲三角蕉葉紋，圈足飾陰綫的反轉雲紋。縱向的直瓦紋在商代少見，尤其是在蓋面用這種紋樣，給人以瓜棱的印象。

現藏中國社會科學院考古研究所。

亞址觶

商

河南安陽市郭家莊160號墓出土。

高19、口長9、寬7.1厘米。

蓋頂菌狀柱鈕面飾渦紋，蓋面飾兩組獸面紋。頸、腹均飾獸面紋，以扉棱爲鼻。腹、足間飾龍紋一周。蓋内及器底有銘文。

現藏中國社會科學院考古研究所。

獸面紋高足杯

商

陝西扶風縣法門鎮出土。

高21.2、口徑14.4厘米。

敞口，斜直腹内收，高圈足，口下飾弦紋，腹飾由雲雷紋組成的獸面紋，上下界以聯珠紋，高圈足有四個兩兩對稱的十字形鏤孔。

現藏陝西省扶風縣博物館。

獸面紋爵

商

河南中牟縣黄店出土。

高14.5、流尾長14.2厘米。

敞口、流、口間立一對釘帽狀矮柱，束腰，折鼓腹，平底，三棱錐狀足，腰飾聯珠紋，腹飾單綫獸面紋。

現藏河南博物院。

獸面紋爵

商

河南鄭州市楊莊出土。

高15.2、流尾長13.2厘米。

釘帽狀矮柱，直腰，腹微鼓，平底。腰部有鋬一側飾目紋，另一側飾獸面紋。

現藏河南博物院。

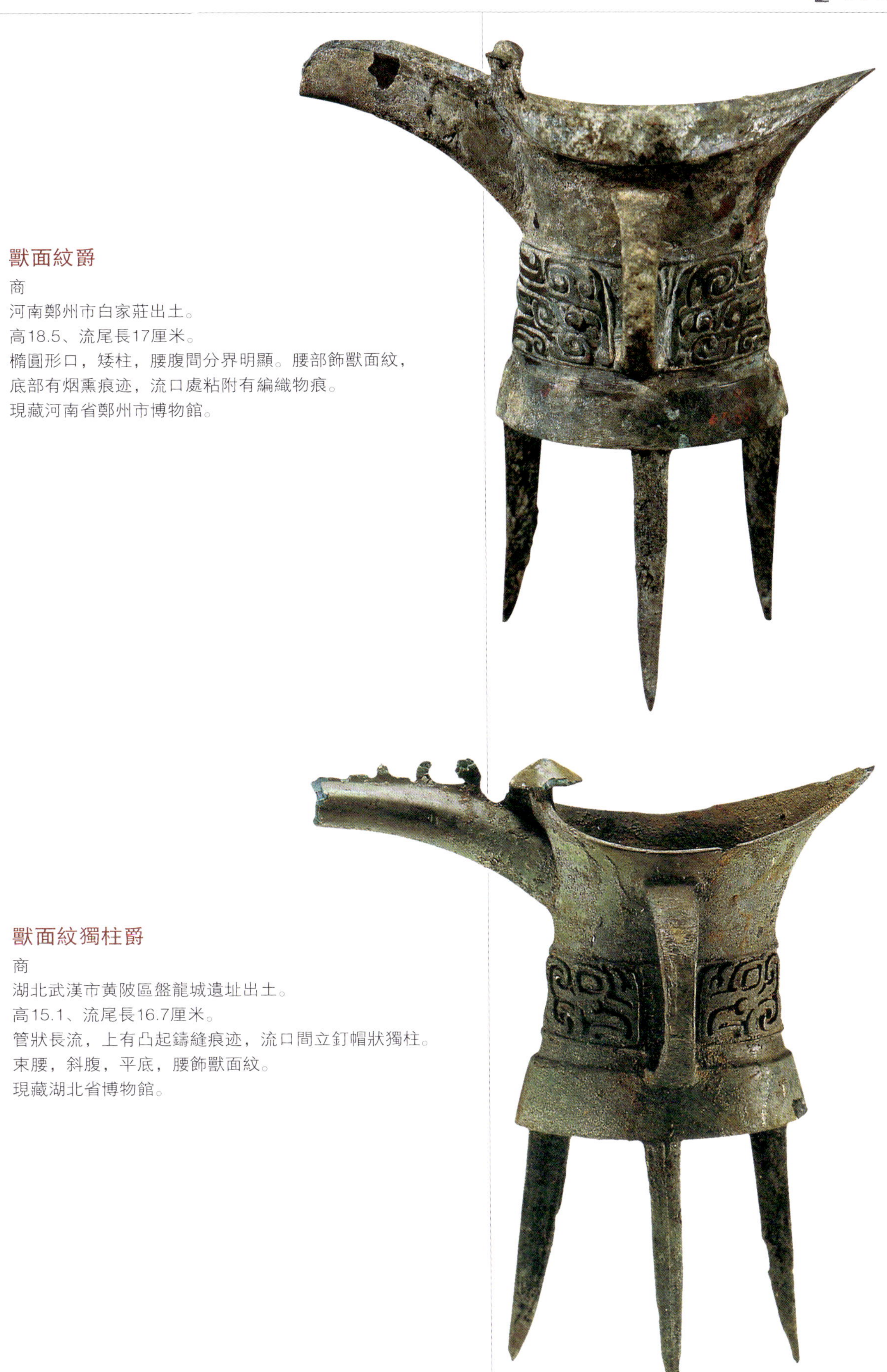

獸面紋爵

商

河南鄭州市白家莊出土。

高18.5、流尾長17厘米。

橢圓形口，矮柱，腰腹間分界明顯。腰部飾獸面紋，底部有烟熏痕迹，流口處粘附有編織物痕。

現藏河南省鄭州市博物館。

獸面紋獨柱爵

商

湖北武漢市黄陂區盤龍城遺址出土。

高15.1、流尾長16.7厘米。

管狀長流，上有凸起鑄縫痕迹，流口間立釘帽狀獨柱。束腰，斜腹，平底，腰飾獸面紋。

現藏湖北省博物館。

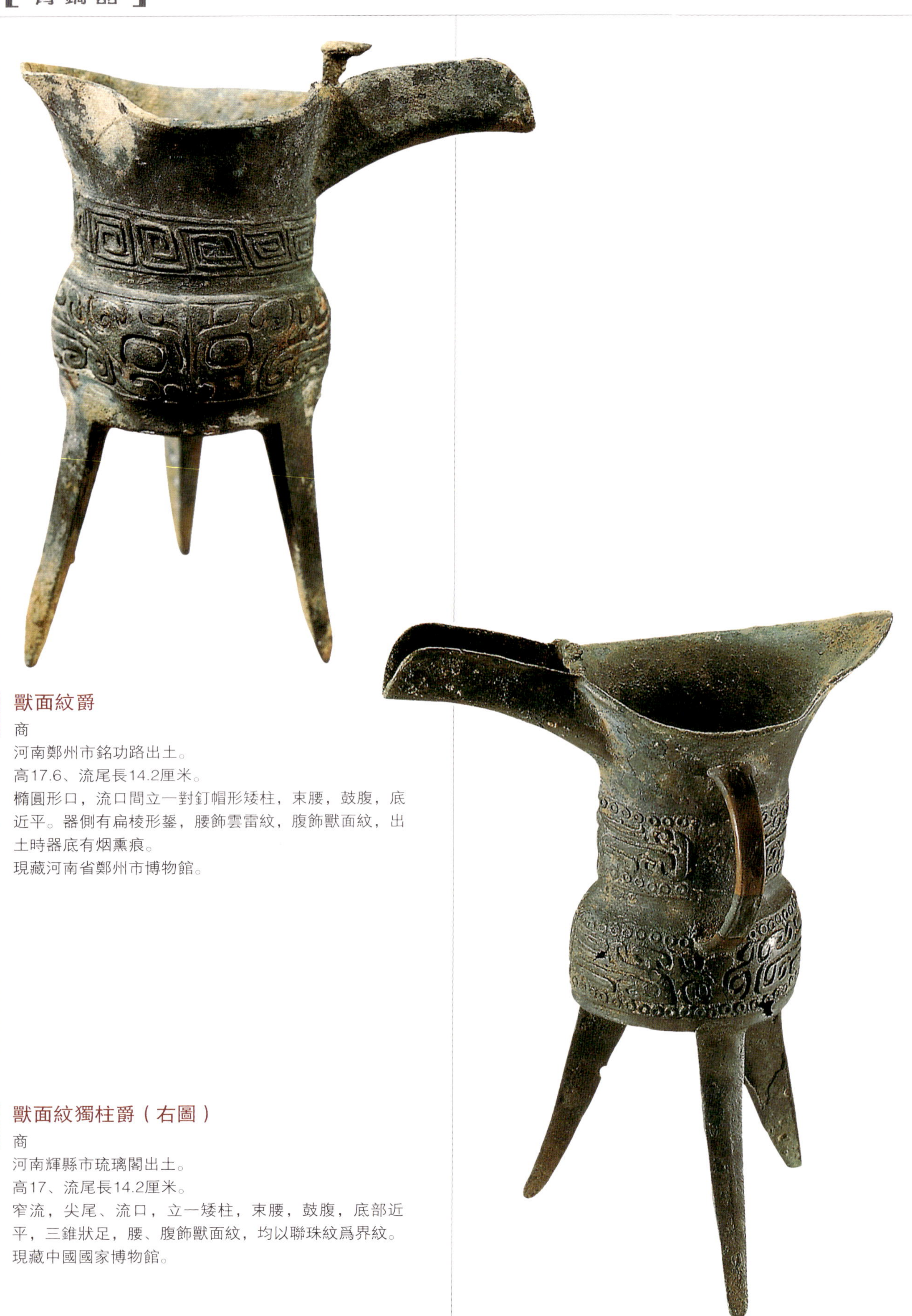

獸面紋爵

商

河南鄭州市銘功路出土。

高17.6、流尾長14.2厘米。

橢圓形口，流口間立一對釘帽形矮柱，束腰，鼓腹，底近平。器側有扁棱形鋬，腰飾雲雷紋，腹飾獸面紋，出土時器底有烟熏痕。

現藏河南省鄭州市博物館。

獸面紋獨柱爵（右圖）

商

河南輝縣市琉璃閣出土。

高17、流尾長14.2厘米。

窄流，尖尾、流口，立一矮柱，束腰，鼓腹，底部近平，三錐狀足，腰、腹飾獸面紋，均以聯珠紋爲界紋。

現藏中國國家博物館。

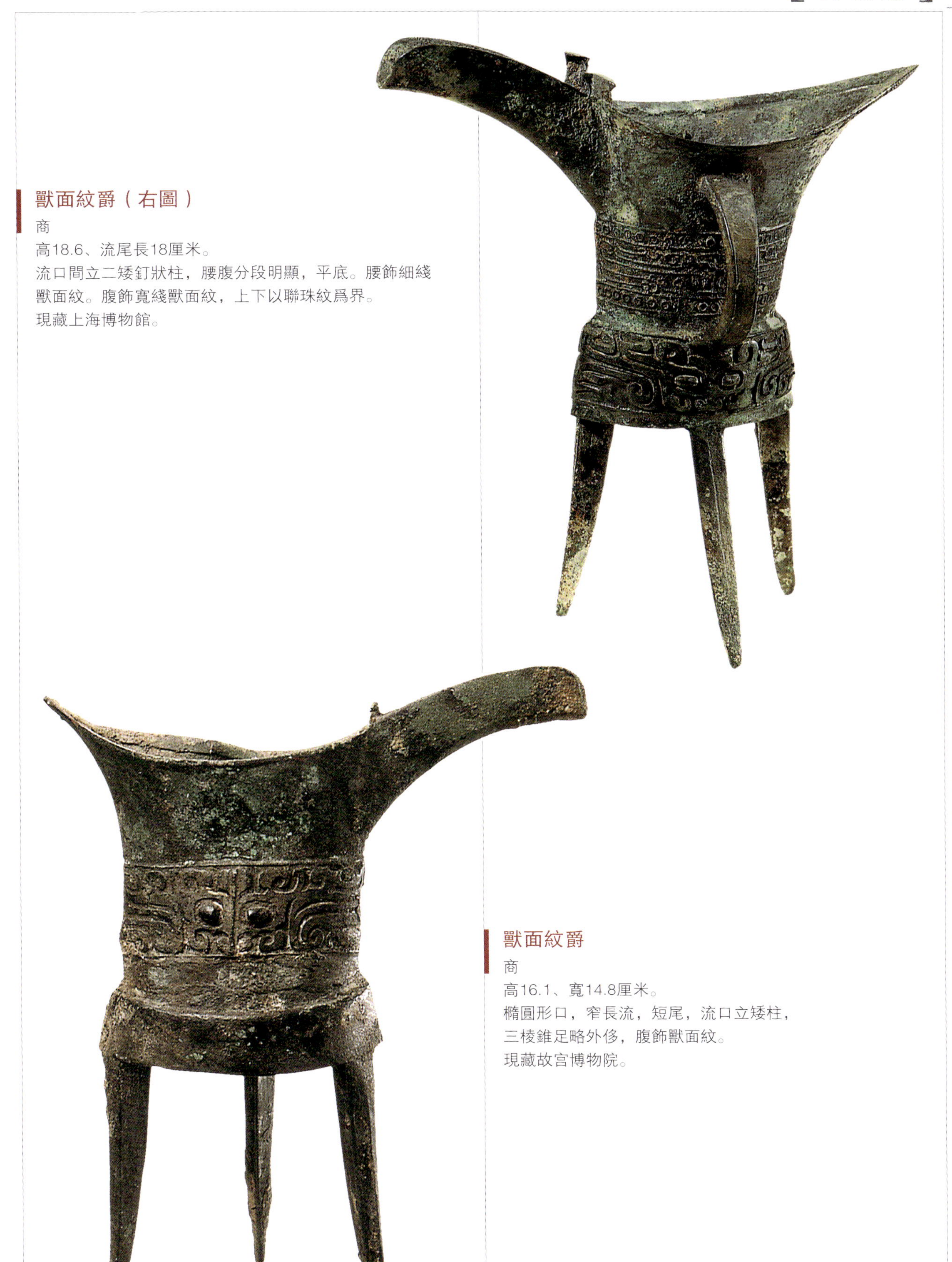

獸面紋爵（右圖）

商

高18.6、流尾長18厘米。

流口間立二矮釘狀柱，腰腹分段明顯，平底。腰飾細綫獸面紋。腹飾寬綫獸面紋，上下以聯珠紋爲界。

現藏上海博物館。

獸面紋爵

商

高16.1、寬14.8厘米。

橢圓形口，窄長流，短尾，流口立矮柱，三棱錐足略外侈，腹飾獸面紋。

現藏故宫博物院。

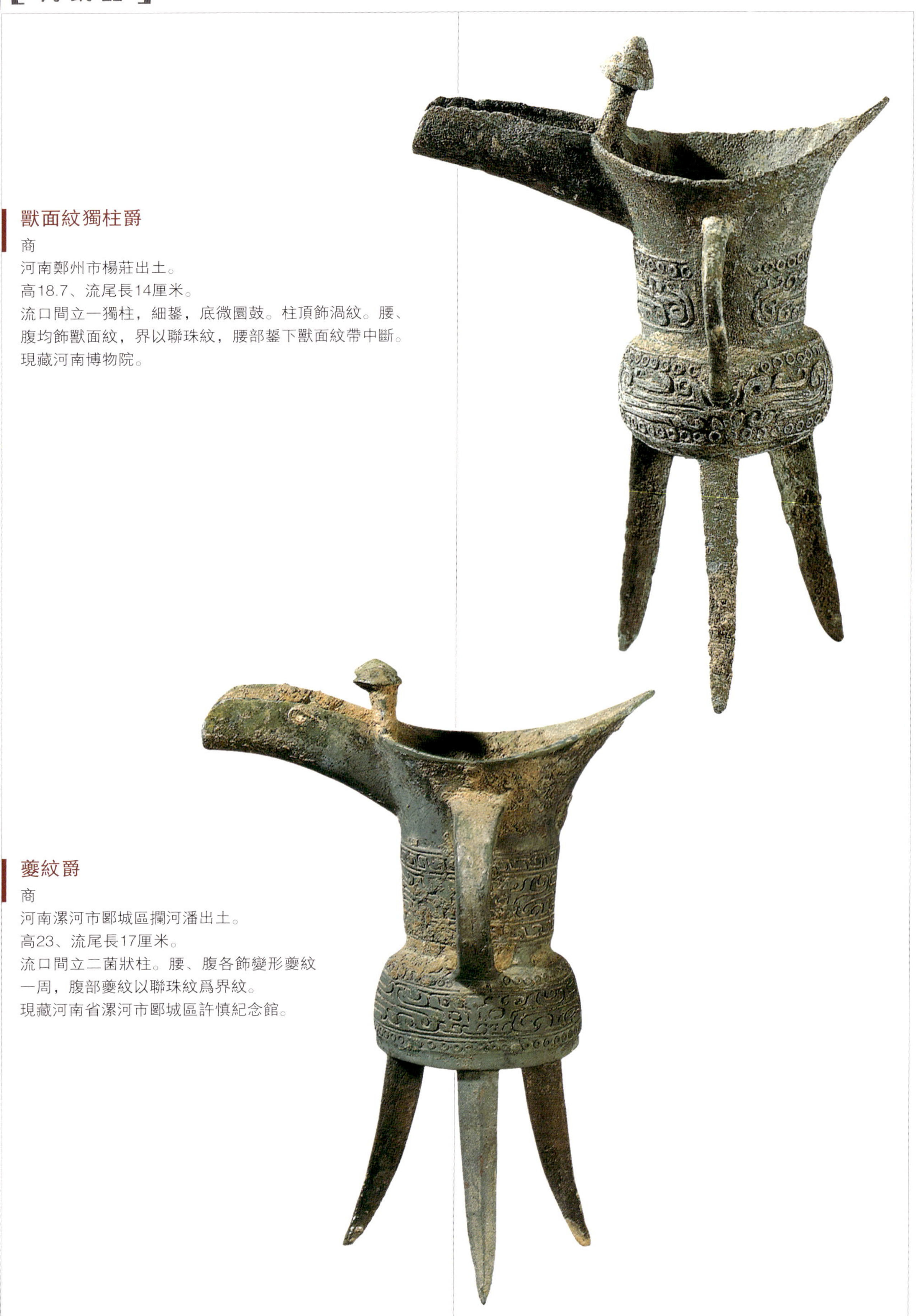

獸面紋獨柱爵

商
河南鄭州市楊莊出土。
高18.7、流尾長14厘米。
流口間立一獨柱，細鋬，底微圜鼓。柱頂飾渦紋。腰、腹均飾獸面紋，界以聯珠紋，腰部鋬下獸面紋帶中斷。
現藏河南博物院。

夔紋爵

商
河南漯河市郾城區攔河潘出土。
高23、流尾長17厘米。
流口間立二菌狀柱。腰、腹各飾變形夔紋一周，腹部夔紋以聯珠紋爲界紋。
現藏河南省漯河市郾城區許慎紀念館。

獸面紋爵

商

河南安陽市殷墟小屯388號墓出土。

高13.9、口長13、寬6.9厘米。

流口間飾菌頂單柱，直腹圜底一側有鋬，三棱刀形足。

頂飾渦紋，腹飾獸面紋一周。

現藏臺灣“中央研究院歷史語言研究所”。

獸面紋爵

商

高19.6、流尾長15厘米。

長流，短尾、流口間立二較高菌形柱，杯體作橢圓形，圜底，三刀形扁足外撇。腹飾獸面紋，并以聯珠紋爲界，鋬下紋帶中斷。

現藏上海博物館。

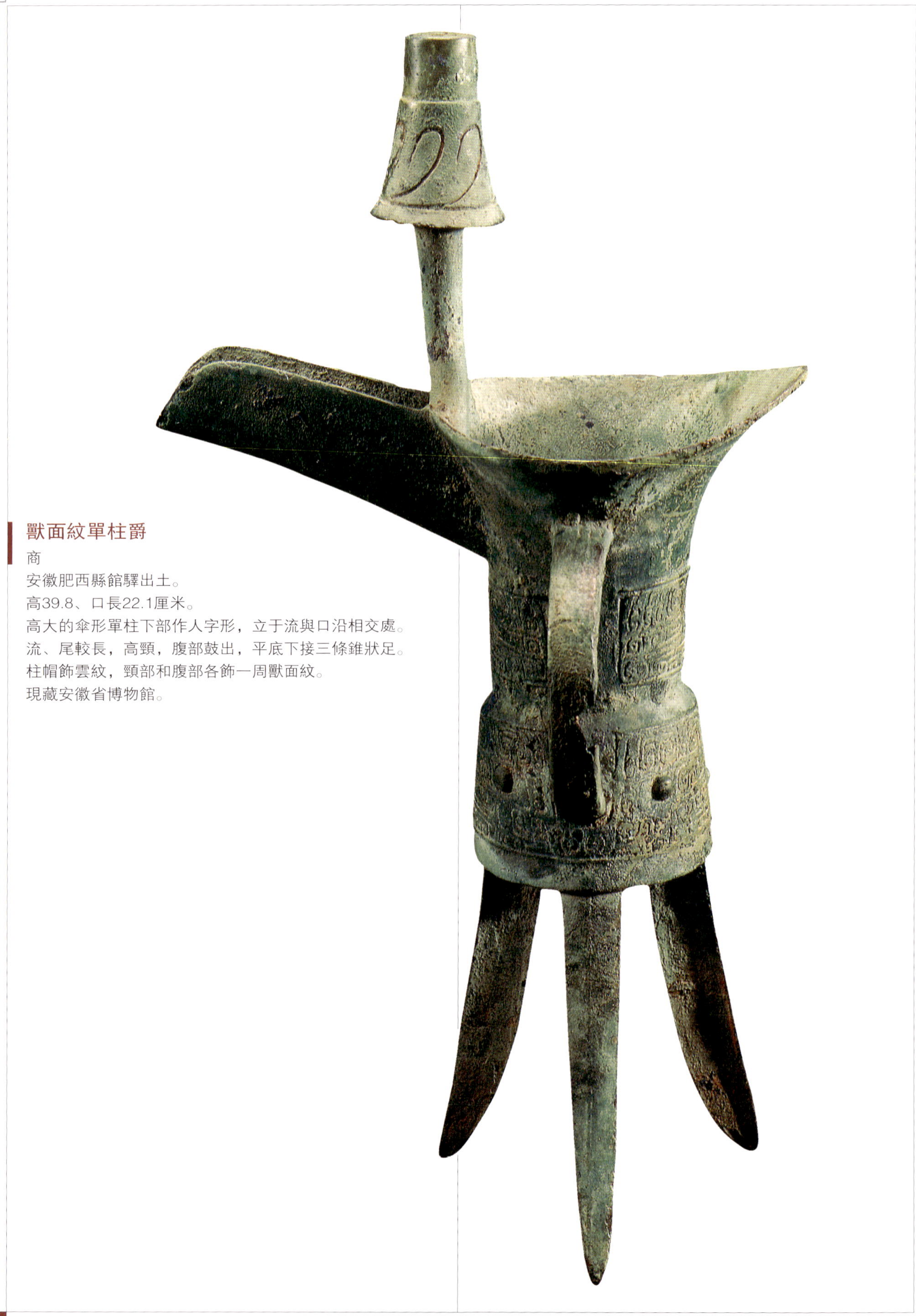

獸面紋單柱爵

商

安徽肥西縣館驛出土。

高39.8、口長22.1厘米。

高大的傘形單柱下部作人字形，立于流與口沿相交處。流、尾較長，高頸，腹部鼓出，平底下接三條錐狀足。柱帽飾雲紋，頸部和腹部各飾一周獸面紋。

現藏安徽省博物館。

獸面紋爵

商
河南安陽市殷墟小屯333號墓出土。
高16.2、口長15.5、寬8.3厘米。
菌頂雙柱、長腰折腹，平底。腹飾獸面紋一周。
現藏臺灣“中央研究院歷史語言研究所”。

𦍩爵

商
河南安陽市大司空539號墓出土。
高19、流尾長17.5厘米。
流口處立二菌形立柱，深腹圜底。柱頭飾渦紋。腹飾以雲雷紋襯地的獸面紋。鋬內側腹壁有銘文一字。
現藏中國社會科學院考古研究所。

婦好平底爵

商

河南安陽市殷墟婦好墓出土。

高26.3厘米。

爵一套共十件，形制大小相同，選一件。長流尖尾，傘形立柱，頸、腹間分界已不很顯著，直腹平底，三棱形高錐足，獸首鋬。尾下和與鋬相對處施扉棱，棱尖伸出口外。頸部下爲一周細獸面紋，其上飾蕉葉形蟬紋，其中流部蟬紋兩側飾有夔龍紋；腹部在雲雷紋地上飾相對的夔紋。鋬内鑄有“婦好”的銘文。婦好平底爵十件成組，與婦好觚相配。它在已發現的完整的商代銅器群中，是爵數最多、品級最高的一組。

現藏中國國家博物館。

[illegible]爵

商

河南安陽市大司空663號墓出土。

高19.7、流尾長16.5厘米。

口、流、尾下均飾蕉葉紋，腹飾獸面紋，以三條扉棱爲鼻，雲雷紋襯地。鋬内腹壁有一銘文。

現藏中國社會科學院考古研究所。

日辛共爵

商

河南安陽市孝民屯907號墓出土。

高22.8、流尾長20.2厘米。

牛首鋬。流下飾蕉葉紋，頸飾三角蟬紋，腹飾以雲雷紋襯地的獸面紋，以扉棱爲鼻。鋬内腹壁有銘文三字。

現藏中國社會科學院考古研究所。

獸面紋爵

商

河南安陽市劉家莊19號墓出土。

高17.7、流尾長14.5厘米。

獸首鋬、流、尾、頸皆飾蕉葉紋，

腹飾獸面紋，間飾扉棱三道。

現藏河南省安陽市文物工作隊。

共爵

商

河南安陽市孝民屯152號墓出土。

高18.8、流尾長16厘米。

腹飾粗綫雲雷紋組成的獸面紋。

鋬内腹壁上有銘文二字。

現藏中國社會科學院考古研究所。

臼爵

商

河南安陽市孝民屯1572號墓出土。

高20.5、流尾長18厘米。

牛首鋬，腹飾獸面紋。鋬内器壁有銘文四字。

現藏中國社會科學院考古研究所。

W址爵

商

河南安陽市大司空304號墓出土。

高20.8、流尾長16.6厘米。

流、尾下飾蕉葉紋，腹飾獸面紋，雲雷紋襯地，

間飾扉棱，鋬内側腹壁下有銘文二字。

現藏中國國家博物館。

寢魚帶蓋爵

商

河南安陽市孝民屯南1713號墓出土。

高20、長22.2厘米。

蓋作短角鹿首形，從流端順爵口掩至尾尖，中部有一拱形鈕。爵身流尾高揚，口立傘狀柱，頸部略收，腹部外鼓，一側有獸首狀鋬，圜底，旁接三棱狀尖足。花紋簡潔，僅在頸下施反首夔龍紋一周，足外施葉脉紋三組而已。銘文共二行一二字："辛卯，王錫寢魚具，用作父丁彝。"鑄于尾端器内壁，與通常爵的銘文位置不同。在蓋内另有"亞魚"的族名文字，由此可知作器者是以族名爲氏，亞魚可直接寫作或讀作魚。

現藏中國社會科學院考古研究所。

子鉞爵

商

河南安陽市劉家莊1號墓出土。

高20.3、流尾長15.4厘米。

腹飾以雲雷紋襯地的獸面紋兩組。鋬内壁鑄銘文二字。

現藏河南省安陽市文物工作隊。

亞其爵

商
傳河南安陽市出土。
高20.1、流尾長16.8厘米。
流、尾、口下飾蕉葉紋一周，腹飾以雲雷紋襯地的獸面紋，并在凸起主紋上刻細雷紋。鋬內鑄銘文二字。
現藏上海博物館。

子工萬爵

商
高21.1、寬16厘米。
口、流、尾下飾蕉葉紋，腹飾獸面紋，間飾扉棱，鋬內鑄銘“子工萬”三字。
現藏故宮博物院。

旅爵

商

傳河南安陽市出土。

高17.9、流尾長15.8厘米。

流、尾下及頸飾三角紋一周，腹飾雲雷紋襯地的獸面紋。鋬内有銘文一字。

現藏上海博物館。

侣母爵

商

傳河南安陽市出土。

高18.1、流尾長16.1厘米。

腹兩側有棱脊，流、口飾蕉葉紋，腹飾獸面紋。鋬内有銘文二字。

現藏上海博物館。

𠬪爵

商

傳河南安陽市出土。

高20.1、流尾長18.2厘米。

腹飾鳥獸合體獸面紋，鋬內鑄銘文一字。

現藏上海博物館。

斝爵

商

傳河南安陽市出土。

高17、流尾長14.7厘米。

流、口下飾蕉葉紋，腹飾以雲雷紋襯地的獸面紋，鋬內鑄銘文一字。

現藏上海博物館。

子韋爵

商
傳河南安陽市出土。
高20.5厘米。
腹飾獸面紋，間飾扉棱。鋬内壁有銘文二字。
現藏美國波士頓美術館。

覃爵

商
傳河南安陽市出土。
高17.2厘米。
腹飾獸面紋，鋬内器壁有銘文一字。
現藏美國波特蘭藝術博物館。

父乙爵

商
傳河南安陽市出土。
高23.5厘米。
有蓋，蓋前端作牛首狀，中腰有圓柱形鈕。牛首鋬，菌狀短柱。柱頂浮雕蛇紋，蓋飾龍紋。流、口下、三足外側均飾蕉葉紋，腹飾獸面紋，間飾扉棱三道。器、蓋對銘。
現藏美國舊金山亞洲藝術博物館。

息爵

商
河南羅山縣蟒張鄉息國墓地出土。
高20、流尾長15.6厘米。
流下飾龍紋，腹飾獸面紋。鋬內鑄銘“息”字。
現藏河南省信陽市文物管理委員會。

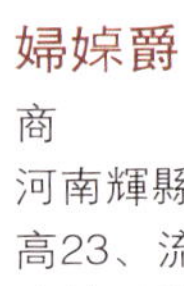

婦㛃爵

商

河南輝縣市褚邱鄉出土。

高23、流尾長19.3厘米。

牛首形蓋。獸首鋬。蓋飾龍紋，腹飾變形獸面紋。蓋内鑄銘四字，鋬内兩字。

現藏河南省新鄉市博物館。

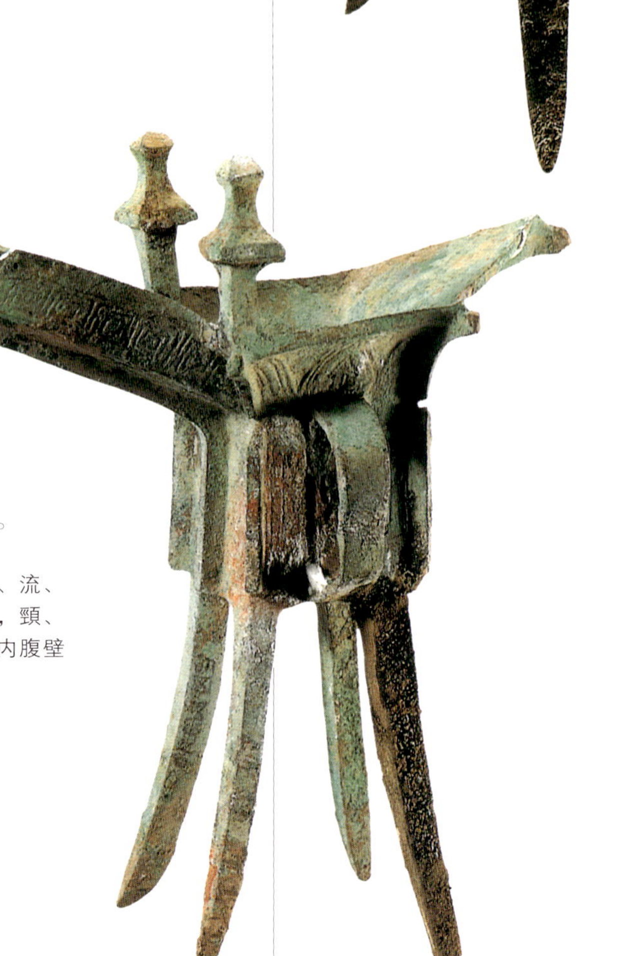

犬方爵

商

河南安陽市高樓莊後岡9號墓出土。

高17、流尾長16.4厘米。

方爵，四足截面呈四棱錐形。口、流、尾下飾扉棱六道，流下飾雲雷紋，頸、尾下飾蕉葉紋，腹飾夔龍紋。鋬内腹壁鑄一銘文。

現藏中國社會科學院考古研究所。

父癸角

商

傳河南安陽市出土。

高22.5厘米。

帶鈕蓋，牛首鋬，三錐形足。蓋面及器腹飾獸面紋和雲雷紋。器、蓋同銘。

現藏美國華盛頓弗利爾美術館。

宰琥角

商

高22.9厘米。

中弧口，長翼，深直腹，圜底，器身右側安獸首鋬，下爲三條外撇的三棱形錐足。角領部飾前後長、兩側短的三角蕉葉紋，腹飾一周獸面紋，足飾雲雷紋組成的柳葉紋。器內壁鑄銘文五行三十字（含合文一），記某商王廿年宰琥受到王賞賜事。另在鋬內有族名銘文。銘文格式爲商人文體，記年又爲廿年，該角的年代當以商王帝辛爲是。

現藏日本京都泉屋博古館。

亞址角

商

河南安陽市郭家莊160號墓出土。

高21.6、流尾長16.8厘米。

兩翼尾尖角形，浮雕獸頭鋬，深腹、圜底，三錐形足。頸飾三角龍紋，腹飾獸面紋，以雲雷紋襯地。鋬內腹壁有銘文。

現藏中國社會科學院考古研究所。

獸面紋角

商

傳爲河南安陽市殷墟出土。

高20.3厘米。

口沿中折，兩冀高舉，領下微束，鼓腹分襠，下接三條不長的三棱狀錐足。腹側獸首鋬與一足相對，頸部前後及無鋬的腹脊各施扉棱一條，三袋足上各飾以粗放流暢的綫條構成的捲角大獸面紋。

現藏英國牛津雅士莫里博物館。

𠦪角

商

高20.8、寬16.5厘米。

鋬素面，角下、頸部飾蕉葉紋，腹飾獸面紋。鋬內鑄銘“𠦪”字。

現藏故宮博物院。

弦紋平底斝

商

安徽六安市出土。

高20.3、口徑15.2厘米。

口沿上一對矮柱內傾。柱帽介于釘狀和菌狀之間，平底下附三棱錐形空足。器表光素，僅頸飾弦紋三周。

現藏安徽省博物館。

獸面紋平底斝

商

河南鄭州市白家莊出土。

高24.5、口徑15厘米。

沿立二菌狀矮柱，束腰鼓腹，底近平，下附四棱錐狀尖足。柱頂飾渦紋，腰飾雲目紋。

現藏河南博物院。

獸面紋平底斝

商

湖北武漢市黃陂區盤龍城遺址出土。

高32、口徑22厘米。

束腰鼓腹，底微圜，腰部飾獸面紋一周。

現藏湖北省博物館。

獸面紋斝

商

河南鄭州市白家莊27號墓出土。

高22、口徑16厘米。

敞口沿立二菌狀短柱，鼓腹，圜底，三棱空足。腹飾獸面紋一周。

現藏河南省鄭州市博物館。

獸面紋平底斝

商

河南鄭州市白家莊39號墓出土。

高28.5、口徑19.4厘米。

沿立菌狀柱，平底下接三棱錐狀空足。柱頂飾圓渦紋，腰、腹各飾一周雲目紋。

現藏河南博物院。

獸面紋平底斝

商
湖北武漢市黄陂區盤龍城遺址出土。
高29.7、口徑19.7厘米。
柱頂飾渦紋，頸下飾鳥紋抽象綫的雲目紋，腹飾圓渦紋。
現藏湖北省博物館。

夔紋斝

商

河南漯河市郾城區攔河潘出土。

高23、口徑14.8厘米。

口沿立二菌狀柱，束腰，鼓腹，平底，三棱錐狀空心尖足。柱頂飾渦紋，腰、腹均飾變體夔紋。

現藏河南省漯河市郾城區許慎紀念館。

獸面紋斝

商

高27.3、口徑15.8厘米。

沿立二菌狀短柱，鬲頸，鼓腹，底近平，三棱形空錐足。柱頂飾渦紋，腰飾獸面紋，以聯珠紋爲界紋，腹部飾剔地獸面紋。

現藏上海博物館。

獸面紋斝

商

河南安陽市殷墟小屯388號墓出土。

高27.8、口徑13.7-14.8厘米。

傘形雙柱，三棱透底空足。頂飾渦紋。腹飾兩周獸面紋，各以聯珠紋爲界。

現藏臺灣“中央研究院歷史語言研究所”。

獸面紋斝

商

安徽肥西縣館驛鄉出土。

高55.4、口徑25.7厘米。

斝屬平底錐足型。帳形高柱，侈口直腹，“T”形尖足。柱飾圓渦紋，頸部和腹部各飾一周獸面紋。

現藏安徽省博物館。

司⿱母平底斝

商
河南安陽市殷墟婦好墓出土。
高65.7、口徑30.7厘米。
底略外凸，柱頂飾渦紋，柱表飾三角紋、雷紋，獸頭形鋬，鋬面飾雲紋、口下飾三角雲紋，腹飾獸面紋兩周，雷紋襯地，間飾扉棱，口下内壁有銘文三字。
現藏中國社會科學院考古研究所。

爰斝

商
河南安陽市戚家莊269號墓出土。
高34.7、口徑19.9厘米。
底近平，傘形立柱，頂、表均飾火紋。獸首鋬，表飾蛇紋和雲雷紋。頸飾龍紋，腹飾獸面紋。口沿内壁鑄銘文一字。
現藏河南省安陽市文物工作隊。

獸面紋斝

商

傳河南安陽市出土。

高48.2、口徑22.6厘米。

傘形立柱，侈口，圜底。柱面飾獸面紋、雷紋。腹飾以雷紋組成的獸面紋兩組。足剖面呈“T”形。

現藏上海博物館。

㫐斝

商

傳河南安陽市出土。

高44.7、口徑20.5厘米。

三棱錐狀空足、口下飾三角紋，腹飾兩周獸面紋，足飾蕉葉紋。器内底有銘文一字。

現藏河南省新鄉市博物館。

鳳柱斝

商

陝西岐山縣賀家村出土。

高41、口徑19.5厘米。

柱頂立鳳鳥，頭上有冠，身飾羽片。

頸、腹飾獸面紋，間飾扉棱。

現藏陝西歷史博物館。

亞矣斝

商

傳河南安陽市武官村出土。

高75.3厘米。

傘形立柱，頂飾蛇紋，表飾三角紋。獸頭形鋬，表飾雲紋。口下飾三角紋，腹飾獸面紋兩周，間飾扉棱，三錐狀足，亦飾扉棱。器內底有銘文二字。

現藏美國舊金山亞洲藝術博物館。

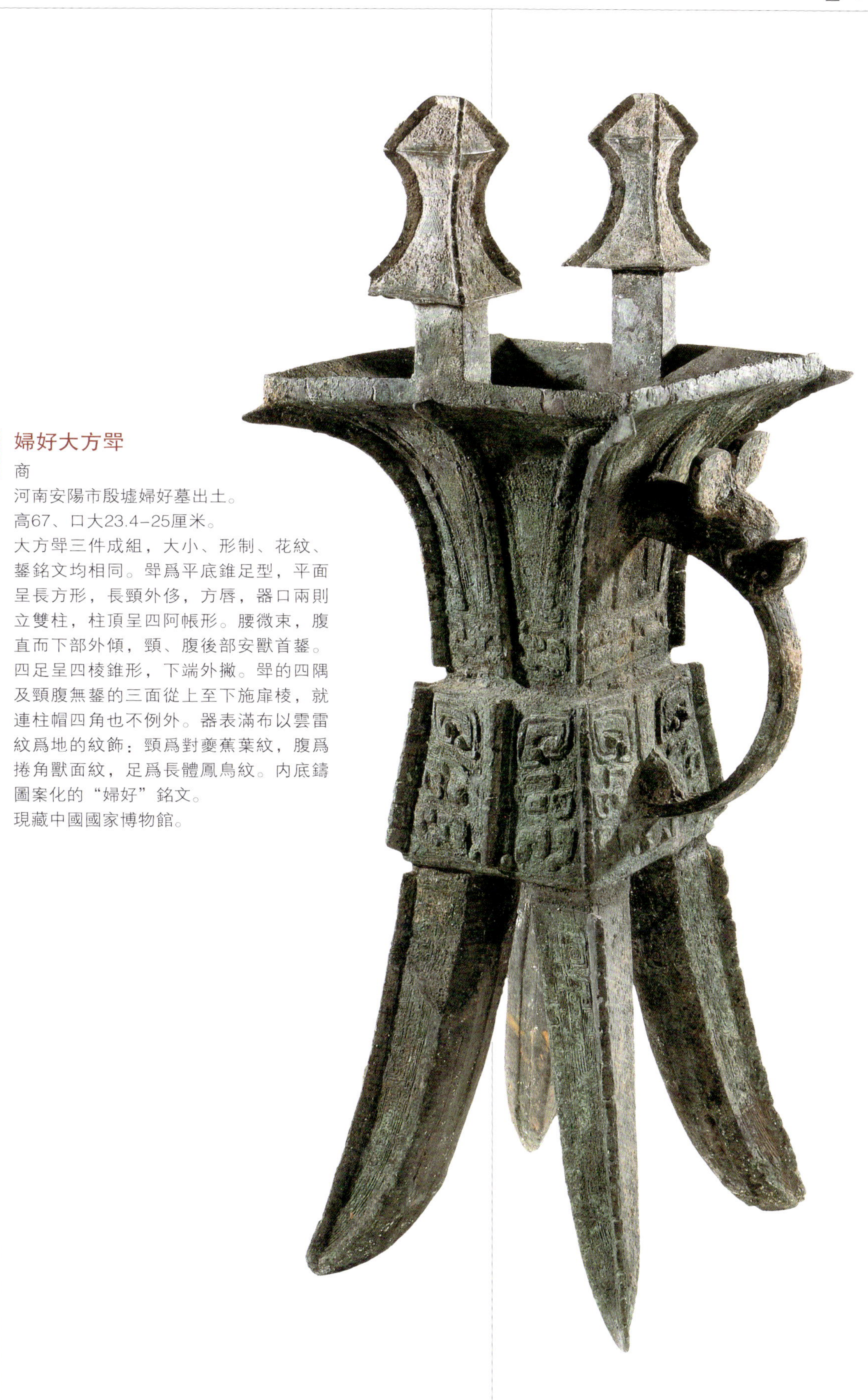

婦好大方斝

商

河南安陽市殷墟婦好墓出土。

高67、口大23.4–25厘米。

大方斝三件成組，大小、形制、花紋、鋬銘文均相同。斝爲平底錐足型，平面呈長方形，長頸外侈，方唇，器口兩則立雙柱，柱頂呈四阿帳形。腰微束，腹直而下部外傾，頸、腹後部安獸首鋬。四足呈四棱錐形，下端外撇。斝的四隅及頸腹無鋬的三面從上至下施扉棱，就連柱帽四角也不例外。器表滿布以雲雷紋爲地的紋飾：頸爲對夔蕉葉紋，腹爲捲角獸面紋，足爲長體鳳鳥紋。内底鑄圖案化的“婦好”銘文。

現藏中國國家博物館。

亞址方斝

商

河南安陽市郭家莊160號墓出土。

高43.5、口長20.5、寬19.1厘米。

雙柱呈四阿帳形，頸、腹、足上扉棱誇張，頸部扉棱上端伸出器口，足部扉棱下端超越足尖形成支脚。全器以雲雷紋爲地飾夔龍蕉葉紋、獸面紋和夔龍紋。內底有“亞址”的族名文字。

現藏中國社會科學院考古研究所。

乳釘紋斝

商
河南開封市徵集。
高45、口徑26厘米。
斜沿外侈、口部立一對釘帽狀柱，三足中空，鋬飾三個長條形鏤孔，腰飾弦紋和乳釘紋。腹飾五個圓餅形飾。
現藏河南博物院。

獸面紋斝

商
河南武陟縣大駕村出土。
高20、口徑14.5厘米。
口沿立二菌狀短柱。鼓腹，圜底，圓錐狀空心尖足。頸飾弦紋，腹飾獸面紋。
現藏河南省武陟縣博物館。

亞斝

商

河南安陽市殷墟大司空村539號墓出土。

高29.3、口徑16厘米。

蓋呈弧面圓板狀，中立虎形鈕，兩側有豁口以卡進器口立柱。器身爲敞口，短頸，圓腹，圜底，上立傘帽形雙柱，後設獸形鋬，下出外撇的三棱錐足。器表遍布雲雷紋地的花紋：蓋飾二獸面；頸部上飾蕉葉紋，下飾以三個短小扉棱爲鼻的獸面紋帶；腹部飾三個細長扉棱爲鼻的大獸面；足部飾對鳥組成的蕉葉紋。腹底鑄“亞”字形符號。

現藏中國社會科學院考古研究所。

父己斝

商

河南安陽市孝民屯198號墓出土。

高20.6、口徑13.4厘米。

傘形柱，釜形體帶獸首鋬，“T”形錐足。傘蓋飾圓渦紋，器肩有凸弦紋三道。鋬內有“父己”銘文。

現藏中國社會科學院考古研究所。

獸面紋斝

商

傳河南安陽市出土。

高22.5厘米。

傘形柱，罐形體，獸首鋬，三棱形短錐足外侈，造型穩重。柱蓋飾渦紋，肩飾變形鳥紋，腹飾折角獸面紋。

現藏日本神户白鶴美術館。

徙斝

商

河南温縣城關鎮小南張村出土。

高37.3、口徑20厘米。

傘狀立柱，侈口捲沿，斜肩垂腹，圜底近平，後端設鋬，下爲三棱狀錐足。器表在三道扉棱間鑄出正面的展翅而立的鴟梟圖案，鴟梟毛角竪立，直抵沿下。器内底鑄“徙”字族氏銘文。徙斝的鴟梟主題紋樣呈三分式構圖，以鴟梟的羽毛滿蓋器壁代替通常的雲雷地紋。其紋飾頗爲新穎獨特。

現藏河南博物院。

獸面紋斝

商

高28厘米。

有蓋，蓋鈕以兩相背鳳鳥聯冠而成。柱頂飾渦紋，表飾三角紋。頸飾三角雷紋，下接龍紋，腹飾獸面紋。三棱錐形足飾雲雷紋。

現藏美國舊金山亞洲藝術博物館。

冊方斝

商

高28.5、寬16.2厘米。

方形體帶蓋，一側有獸首形鋬。蓋正中以二立鳥爲鈕。蓋面與腹部飾獸面紋，柱帽、口沿與柱足飾蕉葉紋。內底鑄銘“冊”字。

現藏故宮博物院。

獸面紋方斝

商

河南安陽市殷墟婦好墓出土。

高21厘米，口長14.4、寬12.3厘米。

圓角長方形器口，短邊四阿式方柱，獸首弓形鋬。有蓋，短邊中部各開一缺口，與立柱套合，中間鑄相背雙鳥形鈕。器身飾三角紋和獸面紋。

現藏河南博物院。

㸚方斝

商

傳河南安陽市出土。

高41厘米。

有蓋，中央立鳥形鈕，獸首形鋬。器身四角及四壁中部有扉棱。器身飾三角蟬紋、龍紋和獸面紋，三棱錐足飾蕉葉紋。器內有銘文一字。

現藏美國華盛頓弗利爾美術館。

獸面紋圓底方斝

商

高23厘米。

平蓋，雙鳥形蓋鈕。屋頂形帽的雙柱，飾三角紋。獸首鋬，器身飾三角雲紋、鳥紋和獸面紋。三棱錐足外表面飾蕉葉紋。

現藏美國舊金山亞洲藝術博物館。

三角雷紋袋足斝

商

河南鄭州市出土。

高21.3、口徑14.3厘米。

大敞口、口沿立二菌狀矮銅柱，束腰，分襠，扁圓錐足。柱頂飾渦紋，腰飾二周聯珠紋，間飾三角雷紋一周，沿襠飾連續雙綫人字紋。

現藏河南省開封市博物館。

獸面紋袋足斝

商

傳河南安陽市出土。

高39.3厘米。

傘形立柱，侈口高領接瘦高的帶足，襠介于分、聯之間。口與後足間安獸首鋬，鋬下及獸首上出短扉棱。柱帽飾蕉葉紋和倒獸面紋，頸部上層飾雲紋，下層飾與雲雷地紋交織成一體的獸面紋；袋足在人字紋上飾雲雷紋地的捲角獸面紋。此斝造型優雅，在商代銅斝中罕見。

現藏德國科隆東亞藝術博物館。

獸面紋袋足斝

商

高31.1厘米。

高頸侈口，沿上立二傘狀柱。袋足分襠，後足與頸間接設鋬，足下出很高的圓錐形足根。柱帽飾圓渦紋，頸下部飾上下界以聯珠紋的獸面紋帶，袋足上則各飾一個大獸面紋。所有紋飾均由較寬的單層綫條組成。該斝無論從形制上還是從紋樣上看，都堪稱爲商中期銅斝的優秀作品。

現藏上海博物館。

獸面紋斝

商

高34、寬27.5厘米。

口立二菌形柱。腹、袋足均飾以雷紋襯地獸面紋。

現藏故宫博物院。

小臣邑斝（右图）

商

傳河南安陽市出土。

高45.9厘米。

獸首鋬，分襠鼓腹，圓柱形空足。頸、腹各飾獸面紋，腹下部沿襠飾雙綫人字形紋。鋬内有銘文兩行。

現藏美國聖路易藝術博物館。

亞址斝

商

河南安陽市郭家莊160號墓出土。

高27.5、口徑20.1厘米。

牛頭形鋬，腹分襠，肩飾目雷紋，袋足沿襠綫飾連續人字紋。口沿内有銘文。

現藏中國社會科學院考古研究所。

雷紋斝

商

山西靈石縣旌介村1號墓出土。

高26.8、口徑18.8厘米。

鬲形，有獸首圜鋬。頸部飾二道凸弦紋，肩部飾斜角雷紋。

現藏山西省考古研究所。

獸面紋尊

商

河南偃師市塔莊出土。

高25、口徑20厘米。

喇叭形大口，高頸，斜折肩，圜底接圈足。頸飾弦紋，肩飾雲紋，腹飾單綫獸面紋，上下均以聯珠紋爲界欄。圈足上有三個十字形鏤孔。

現藏河南省偃師商城博物館。

牛首尊

商

河南鄭州市向陽回族食品廠出土。

高32、口徑28厘米。

同出兩件，此爲其一。兩件形制和紋飾相同，大小略有差异。形制爲喇叭形大敞口，斜折肩，肩部聳起牛首三個，腹部圓轉内收，平底下接向外斜傾的兩段式中圈足，足上有三個十字形鏤孔。花紋除頸、足各飾三道凸弦紋外，另在肩部和腹部各飾帶狀動物紋樣一周，肩上爲雲目紋，腹上爲獸面紋，紋樣皆爲細綫構成，上下以聯珠紋鑲邊。

現藏河南省鄭州市博物館。

牛首獸面紋尊

商

高25.5、口徑24厘米。

大喇叭口，長頸折肩，腹部圓和内收圜底圈足。肩飾三個高浮雕狀牛首，其間飾連珠紋邊欄的夔龍紋。腹部在兩道聯珠紋間飾獸面主紋。主紋綫條纖細流暢。圈足飾三圓形鏤孔。

現藏上海博物館。

獸面紋尊

商

安徽阜南縣朱寨月兒河出土。

高47、口徑39.3厘米。

頸飾弦紋，肩飾三立體獸面并間以捲雲狀扉棱，其間飾雲紋，腹飾淺浮雕獸面紋。圈足飾三個十字形鏤孔和弦紋。

現藏安徽省博物館。

龍虎尊

商

安徽阜南縣朱寨月兒河出土。

高50、口徑45厘米。

尊爲矮體折肩型。大口外侈，折肩平緩，腹斜下斂，圈足較高。頸上飾凸弦紋三周。肩部鑄接三個探出肩外的立體狀龍首，龍身則如浮雕蜿蜒肩上。腹部以龍首下的三條透空扉棱分隔爲三部分，其間飾以虎銜人的主題紋樣：虎首如龍首伸出腹壁，左右歧出兩個浮雕狀的虎身，虎首下銜正面蹲立人之首；虎下人旁填以夔龍，扉棱兩側的夔龍相對，組成完整的獸面紋，從而將三組分隔的虎銜人紋又聯繫成一個整體。圈足上部有弦紋一周及十字形鏤孔三個，下部飾三組獸面紋。肩、腹部主題紋樣均以雲紋爲地，其上還分別飾以雷紋或雲紋。浮雕狀紋飾的內壁皆隨之凹凸，紋飾層次雖多但器壁厚薄均勻。

現藏中國國家博物館。

獸面紋牛首折肩尊

商

河南靈寶縣文底鎮東橋村出土。

高29.5、口徑30厘米。

形制爲大喇叭口，折肩斜平，腹部下收，圈足外侈而足面微凹。尊的肩腹間有凸起的獸首三個，其間的肩上、腹上各飾三道透空捲雲狀扉棱。頸上及圈足各飾兩道凸弦紋，肩上及腹部上段飾雲目紋，腹下段及圈足飾獸面紋，另在圈足上有方形鏤孔三個。花紋除獸面的角、額、目較爲突出外，其餘均爲粗細大致等同的綫條組成，與雲雷地紋渾然一體。現藏河南博物院。

三鳥獸面紋尊

商

河南輝縣市褚邱鄉出土。

高16、口徑20厘米。

體態矮胖。肩飾三隻立體的半身小鳥，其間飾雲雷紋，腹飾三個獸面紋。圈足有鏤孔及夔紋。現藏河南省新鄉市博物館。

风尊

商

高27.5厘米。

頸飾蕉葉紋、雲紋、鳥紋，肩、腹、足通飾扉棱三道，肩部浮雕羊獸，肩飾鳥紋，腹飾鳥身的大獸面紋，圈足亦飾鳥紋。其中腹部的鳥身獸面紋至爲罕見。

現藏英國倫敦戴迪野行。

獸面紋尊

商

高22.5、口徑22.7厘米。

口侈，頸下部垂直，與鼓出腹部下的圈足上部直徑相等。肩飾三浮雕狀牛首，間飾回首鳥紋。腹部自上而下分別飾聯珠紋、正首鳥紋和獸面紋。

現藏湖南省博物館。

司㚸母尊

商

河南安陽市殷墟婦好墓出土。

高46.7、口徑41.6厘米。

喇叭形口，長頸，高圈足，頸飾蕉葉紋和龍紋，肩飾浮雕獸頭三個，間飾扉棱，獸頭與扉棱間飾龍紋。腹、圈足各飾扉棱六道，腹上部飾目雷紋，下部飾獸面紋。圈足上部飾十字形鏤孔，下部飾獸面紋，通體以雲雷紋襯地。器一側殘損，口下内壁有銘文三字。

現藏中國社會科學院考古研究所。

寧尊

商

傳河南安陽市出土。

高39.7、口徑35.5厘米。

尊的圈足甚高，足的接地處留出很寬的無紋邊緣。頸飾蕉葉紋和龍紋，肩飾三浮雕獸首和三扉棱，其間飾龍紋。腹、圈足飾扉棱六道，腹上部飾鳥紋，下部與圈足均飾雲雷紋襯地獸面紋。器内有銘文一字。

現藏美國紐約大都會藝術博物館。

漁尊

商

河南安陽市殷墟小屯18號墓出土。

高36.7、口徑32.8厘米。

頸飾蕉葉紋和龍紋，肩飾三浮雕羊首和三扉棱，其間飾龍紋，腹、圈足飾扉棱六道，均飾獸面紋。通體以雲雷紋襯地，圈足上部飾三個十字形鏤孔。底内中部有銘文二字。

現藏中國社會科學院考古研究所。

日譜尊

商

河南安陽市殷墟西區第7區93號墓出土。

高34.4、口徑23厘米。

尊兩件成對，形制、紋飾相同，僅銘文排列稍异，選一。形制屬圓肩類，但腹部突起不顯，整體形象就如同上下略大的圓筒：口略侈，腹微鼓，足略外撇。紋飾亦極簡單，衹在頸腹和腹足間各施凸弦紋兩道，其間腹面施雲雷紋地的四個突目四葉紋。圈足内壁鑄圍以亞字形框的銘文三行九字，文字排列錯綜，參照該墓地其它類似的銅器銘文，應讀爲："受日甲，覃日乙，共日辛"（甲尊覃字下奪日字）。受、覃、共可能是祖先名字，甲、乙、辛則是這些祖先的日干廟號。

現藏中國社會科學院考古研究所。

鼎尊

商

傳河南安陽市出土。

高25.7、口徑20.6厘米。

腹飾四瓣目紋一周，上下各飾兩周凸弦紋，

銘文載器主鼎氏任商史官。

現藏上海博物館。

獸面紋尊

商

河南安陽市戚家莊269號墓出土。

高25.3、口徑21.3厘米。

腹、圈足皆飾獸面紋，并以雲雷紋襯地。

足上部對稱飾二假十字形鏤孔。

現藏河南省安陽市文物工作隊。

父己尊

商

傳河南安陽市出土。

高13、口徑11.3厘米。

腹飾斜角目雲紋和聯珠紋。圈足飾變形雷紋。圈足内壁有銘文三字。

現藏河南省新鄉市博物館。

父癸尊

商

陝西西安市長安區大原村出土。

高25.6厘米。

頸、腹、圈足通飾扉棱四道，頸飾蕉葉紋和龍紋，腹、圈足飾獸面紋，通體以雷紋襯地。圈足内有銘文二字。

現藏陝西省西安市文物保護考古所。

父癸尊

商

陝西麟游縣九成宮出土。

高26.1、口徑20厘米。

腹與圈足飾獸面紋。圈足内有銘文三字。

現藏陝西省麟游縣博物館。

亞獏尊

商

傳河南安陽市出土。

高30.5、口徑23.2厘米。

腹與圈足通飾扉棱四道。頸飾蕉葉紋，腹、圈足飾獸面紋，器内底有銘文。

現藏美國華盛頓弗利爾美術館。

㔾尊

商

傳河南安陽市出土。

高35.1、口徑22.6厘米。

頸、腹、圈足通飾扉棱四道，頸飾蕉葉紋、柿蒂紋，腹與圈足飾獸面紋，圈足上飾十字形鏤孔。圈足內壁有銘文一字。

現藏美國華盛頓賽克勒美術館。

𢀛馬父辛尊

商

高25.9、口徑20.9厘米。

腹、圈足均飾分解式獸面紋。

器表光潔，潤如墨玉。

現藏上海博物館。

□父己尊

商

山西靈石縣旌介村出土。

高33.7、口徑22.2厘米。

頸、腹、圈足通飾扉棱四道，頸飾倒置蕉葉獸面紋、鳥紋，腹與圈足飾獸面紋，通體以雷紋襯地。圈足内鑄銘文三字。

現藏山西省考古研究所。

隹父癸尊

商

高31.3、口徑23.8厘米。

頸、腹、圈足通飾扉棱四道。頸飾蕉葉獸面紋和鳥紋，腹、圈足飾獸面紋，通體以雷紋襯地。圈足内鑄銘文三字。

現藏上海博物館。

大御庚尊

商

湖北武漢市漢南區東城垸出土。

高37.1、口徑26.4厘米。

喇叭形口，腹微鼓，高圈足。器表滿飾三層花紋，主題紋樣以雲雷紋爲地，頸飾蕉葉紋，其下作回首夔龍紋帶，腹部及圈足飾獸面紋。在主紋的凸綫條表面刻劃脉絡以爲勾勒。器身從上至下起四條侈出口沿的扉棱。圈足上部有兩個對稱的不透空十字形鏤孔。圈足内鑄銘“大御庚”三字。本器鑄造極爲精美。

現藏湖北省博物館。

作尊彝尊（右圖）

商

高27.6、寬22.5厘米。

腹上部飾曲腿卧牛紋，間飾獸首，中部飾四錐形乳釘，間飾四目紋，目紋四周有四瓣葉紋，下部飾一首雙身龍紋。内底鑄銘一行三字“作尊彝”。

現藏故宫博物院。

四龍四象方尊

商

河南安陽市郭家莊160號墓出土。

高44.3、口長33厘米。

口折外侈，長頸近直，肩部緩折，直腹下收，高足下端外撇。器表四中四隅各飾三段扉棱，扉棱頂端漸粗，伸出口外。在尊肩上的四中及四角分别飾有立體的龍首和象首，龍首雙角如樹葉，象鼻上捲而門齒前伸，前者形象神秘猙獰而後者生動可愛。器表頸飾蕉葉紋，肩飾夔鳳紋，腹及足部上飾夔鳳紋帶，下飾大獸面紋。獸面爲角、耳、鼻、眼、嘴分離式，足部獸面的兩角還是由虺龍組成。主體紋樣均以雲雷紋爲地，其上也滿布與地紋相同的雲雷紋。紋飾繁縟而主次稍欠分明。尊内底有“亞址”的族名文字。

現藏中國社會科學院考古研究所。

司母癸方尊

商

河南安陽市殷墟婦好墓出土。

高56、口長37.5、寬36.9厘米。

肩四面均鑄一首二身怪獸，獸頭凸起。器四中四隅飾扉棱。頸飾蕉葉紋，腹、圈足均飾獸面紋，皆以雷紋襯地。內底中部有銘文兩行四字。

現藏中國社會科學院考古研究所。

婦好方尊

商

河南安陽市殷墟婦好墓出土。

高43、口長35.5、寬33厘米。

長方形侈口，束頸，窄肩，下腹內收，高圈足。頸、腹、圈足四隅四中飾扉棱，肩四隅飾浮雕立鳥，四中飾浮雕獸頭。頸飾獸面蕉葉紋，肩飾龍紋，腹、圈足皆飾獸面紋，通體以雷紋襯地。底內中部有銘文二字。

現藏中國社會科學院考古研究所。

獸面紋方尊

商

河南新鄉市出土。

高45.4、口長34.6厘米。

肩四隅飾浮雕立鳥，四中飾浮雕獸首。頸飾蕉葉紋、鳥紋，肩飾曲體龍紋，腹、圈足飾獸面紋。

現藏中國社會科學院考古研究所。

小臣艅犀尊

商

傳山東梁山縣出土。

高24.5、長33厘米。

造型爲站立的犀牛狀，鼻上生角，兩耳斜立，身軀肥碩，四足粗短，形象與真實的犀牛很相似。犀牛中空，背上開圓形器口。外表如真實犀牛皮那様素净無紋。腹内有銘文四行二十七字："丁巳，王省夒祖，王錫小臣艅夒貝。惟王來征人方，惟王十祀又五彡日。"小臣艅犀尊銘文記載有商王朝征人方這一重大歷史事件，其年代明確，銘文重要，并且犀尊的形象逼真，外表寫實不加任何紋飾，風格與通常所見鳥獸形器迥异。它是著名的"梁山七器"之一，是具有重要史料價值和藝術價值的商代銅器珍品。

現藏美國舊金山亞洲藝術博物館。

婦好鴞尊

商

河南安陽市殷墟婦好墓出土。

高46.3、口長16厘米。

梟尊兩件成對，形制、大小、紋飾相同或相近。鴞作昂首挺胸、收翅垂尾、并足站立之形。口開于梟首後部，蓋呈半圓形，上有立鳥和夔龍形捉手。鴞首上立毛角，前有勾喙，頸上背後間設鋬，下垂的寬尾與粗壯的雙足共同支撑尊重量。尊上遍布花紋，除鴞面、翅、尾依鴟鴞真實形態并填以捲雲紋和方格紋予以美化外，其餘部位均飾以獸面紋和饕龍紋，另在鴞下近尾處還飾有鴞首形象。主題紋樣旁襯以雲雷地紋。銘文鑄于口下内壁，“婦好”二字排列如圖案。

現藏中國國家博物館。

亞獸鴞尊

商

高16.3厘米。

鴞形器，蓋爲鴞首，尖喙上翹，三面出棱脊。寬尾着地，與二爪形成鼎立器足。通體飾鱗甲紋，腹兩側以捲龍紋爲羽翼。蓋内、器底鑄銘二字。

現藏美國華盛頓賽克勒美術館。

龜紋折肩罍

商

河南鄭州市白家莊2號墓出土。

高25、口徑13厘米。

小口捲沿，高頸上收，肩頸相連，折肩弧腹，圈足瘦高且下侈。頸下有三個龜形圖案，肩上飾斜角雲紋，腹部在兩道雷紋間飾三組獸面紋，圈足上十字鏤孔和弦紋各三。頸部的龜形圖案與器身花紋作相應布局，裝飾意味強烈。

現藏中國國家博物館。

獸面紋罍

商

河南鄭州市二里崗出土。

高24、口徑13.1厘米。

直頸上部略收，口沿外捲，腹長且微鼓，小圈足。頸飾弦紋，腹飾寬綫獸面紋，圈足有三個十字形鏤孔。

現藏河南省鄭州市博物館。

獸面紋罍

商

河南鄭州市白家莊出土。

高16、口徑11.4厘米。

此罍頸部有兩個對稱的半環鈕可以繫繩提携。頸部飾弦紋，腹飾寬綫獸面紋，圈足飾三個十字形鏤孔。

現藏河南博物院。

獸面紋罍

商

河南安陽市殷墟小屯388號墓出土。

高24.4、口徑14–16.6厘米。

折肩處飾三浮雕獸首，肩、腹均飾獸面紋，并以聯珠紋爲欄，圈足飾二長方形鏤孔和獸面紋。

現藏臺灣“中央研究院歷史語言研究所”。

獸面紋罍

商
河南安陽市殷墟小屯331號墓出土。
高24.1、口徑16.8厘米。
侈口，折肩，深腹，圈足。肩飾變形獸面紋，腹飾目斜雷紋和獸面紋，圈足飾三長方形穿孔，下飾雲雷紋。
現藏臺灣“中央研究院歷史語言研究所”。

獸面紋罍

商
河南漯河市郾城區攔河潘出土。
高24.3、口徑16.9厘米。
頸飾弦紋，肩飾目雷紋，以聯珠紋爲欄，腹上部飾目雷紋，下飾獸面紋一周，圈足飾獸面紋與聯珠紋，無鏤孔。
現藏河南省漯河市郾城區許慎紀念館。

三羊折肩罍

商

河南鄭州市向陽回族食品廠出土。

高33、口徑13.5厘米。

短折沿，高直頸微中收，窄折肩，肩上有三個扁平的羊首；腹部深長，上腹直而下腹收；圈足下端略侈，中腰轉折近兩段式圈足。除頸部和圈足各飾兩道凸弦紋外，器表肩部和腹部均飾以寬綫條的單層花紋：肩上在三羊首間各飾一獸面；腹部上飾一窄道斜角雲目紋，下飾一周寬大的獸面紋。獸面紋綫條細密流暢，額中如立羽聳起，兩尾對捲如翼，左右有夔目紋爲襯托，其構圖及表現方式已露殷墟時期紋樣的端倪。

現藏河南博物院。

獸面紋罍

商

河南漯河市郾城區攔河潘出土。

高26.6、口徑15厘米。

頸飾弦紋，肩飾雲紋，腹飾獸面紋，上下以聯珠紋爲欄，高圈足飾十字形鏤孔及弦紋。

現藏河南省漯河市郾城區許慎紀念館。

聯珠紋罍

商
河北藁城市臺西村出土。
高30.4、口徑18厘米。
肩、腹均以聯珠紋帶爲飾，圈足飾三鏤孔及弦紋。
現藏河北省文物研究所。

獸面紋罍

商
高32.4、寬24.1厘米。
肩飾目紋，腹飾獸面紋，均以聯珠紋爲欄，圈足上有十字形鏤孔。
現藏故宫博物院。

寧罍

商

傳河南安陽市出土。

高46.5、口徑17.3厘米。

肩兩側飾對稱銜環牛首耳，腹下部有一牛首形鼻。蓋面、肩部均飾獸面紋，腹飾鳥紋和蕉葉紋，均以雲雷紋襯地。器、蓋同銘。

現藏上海博物館。

雷紋罍

商

傳河南安陽市出土。

高38.5厘米。

肩兩側飾對稱銜環獸首耳，腹下部有一獸形鼻。蓋、肩飾雷紋及聯珠紋，肩腹處有一凸棱，上飾方格雷紋。

現藏日本神户白鶴美術館。

亞址罍

商

河南安陽市郭家莊160號墓出土。

高44.8、口徑17.5厘米。

深腹，矮圈足。肩有一對半環形耳，耳飾牛頭，耳內有圓環，下腹有一牛頭形鼻。口沿下飾三角蟬紋和龍紋。肩飾渦紋和龍紋，腹飾獸面紋和蕉葉紋，圈足亦飾龍紋，均以雲雷紋襯地。頸及腹內有銘文。現藏中國社會科學院考古研究所。

爰罍

商

河南安陽市戚家莊269號墓出土。

高38.6、口徑16.9厘米。

肩飾一對牛首半環形耳，腹下部一側飾一牛首半環形鼻。肩部兩側飾圓泡六個，泡面飾渦紋。口沿內鑄銘文一字。現藏河南省安陽市文物工作隊。

獸面紋罍

商

高43.5、口徑18.6厘米。

肩兩側飾對稱牛首形耳，下腹一側飾牛首形鼻。肩飾渦紋和龍紋，腹飾獸面紋和鳥紋，下飾雙鳥構成的蕉葉紋，圈足飾獸體目紋，皆以雷紋襯地。

現藏上海博物館。

圓渦紋罍

商

高42.8、口徑18.2厘米。

肩飾牛首形對耳，下腹一側飾牛首形鼻。肩部浮雕六圓渦紋，餘皆素面。

現藏北京市保利藝術博物館。

乃孫祖甲罍

商

高41.8、口徑18厘米。

獸首銜環對耳，下腹一側有獸首形鋬。肩飾渦紋、口内壁鑄銘三行一十七字，記乃孫爲祖甲作器事。

現藏故宫博物院。

獸面紋方罍

商

傳河南安陽市出土。

高45、口長13.2厘米。

肩兩側飾對稱獸首形耳，前後浮雕獸頭，下腹正面一側有獸頭形鼻。四坡形蓋，蓋飾獸面紋，頸飾鳥紋，肩飾渦紋和龍紋，腹飾鳥紋和獸面蕉葉紋，蓋內壁有一蟬形凸飾。

現藏美國芝加哥藝術館。

獸面紋方罍

商

傳河南安陽市出土。

高44.7、口長13.4、寬10.6厘米。

肩兩側飾對稱獸首形耳，腹下部有一牛頭形鼻。四坡形蓋，肩前後浮雕獸頭。蓋及腹上部飾獸面紋，腹下部飾蕉葉紋。

現藏河南省新鄉市博物館。

登弇方罍

商

遼寧喀喇沁左翼蒙古族自治縣小波汰溝出土。

高51.3厘米，口長13.7、寬15.8厘米。

蓋作四阿式，肩飾對稱獸首銜環耳，腹下部一側有獸首鋬鼻。器四隅及四中飾扉棱。蓋飾鳥紋和獸面紋，頸、圈足飾鳥紋，肩飾龍紋，間飾浮雕獸首，腹飾獸面紋。

現藏遼寧省博物館。

亞㠱方罍

商

高53厘米，口長20.1、寬17.2厘米。

肩飾對稱獸首形耳，腹正面下部置一獸首形鼻，器四隅及每面正中飾寬厚棱脊。頸、圈足飾鳥紋，肩飾龍紋，間飾浮雕獸首，腹飾鳥紋和獸面紋。頸內壁有銘文兩行四字。

現藏上海博物館。

亞醜方罍

商

高60.8、寬37.6厘米。

獸首銜環對耳，下腹一側有獸首形鋬，器四隅及四中飾扉棱。通體以雷紋襯地，蓋面飾獸面紋，頸與圈足飾鳥紋，腹部飾龍紋和獸面紋。蓋、器對銘九字，記亞醜作器事。

現藏故宮博物院。

獸面紋瓿

商

河南靈寶市豫靈鎮東橋村出土。

高20.6、口徑17.6厘米。

口微斂，圓肩，鼓腹，圈足。頸飾弦紋，肩飾夔紋，腹飾獸面紋，上下均以聯珠紋帶爲欄。圈足飾三對稱鏤孔及夔紋。

現藏河南省靈寶市文化館。

獸面紋瓿

商

高16.8、口徑16.1厘米。

折沿束頸，圓肩鼓腹，大圈足上有三方形鏤孔。頸飾凸弦紋兩道，肩飾鳥紋，腹飾獸面紋。紋飾除眼、鼻外，均由細綫組成。

現藏故宮博物院。

獸面紋瓿

商

河北藁城市臺西村112號墓中。

高27、口徑26.6厘米。

短頸方唇，肩部圓足，腹壁較直，圈足較矮。頸部有凸弦紋兩道。肩部及圈足飾雲目紋，其中肩部紋帶上下還有聯珠紋邊欄。腹飾大獸面主紋。獸面的雙眼特别巨大，主紋與作爲地紋的立羽狀雲雷紋差异不很明顯，頗有特色。

現藏河北省文物研究所。

獸面紋瓿

商

湖北武漢市黄陂區魯臺鎮出土。

高26.7厘米。

肩、腹飾勾曲形扉棱，肩飾變形龍紋，腹飾目雷紋、獸面紋和鳥首紋，圈足鏤孔，下飾目雷紋，均以雷紋襯地。

現藏湖北省武漢市博物館。

三羊瓿

商

高52、口徑41厘米。

斜唇直口，短頸斜肩，深腹圜底，下承圈足。肩部附有高浮雕狀三羊首，羊頭中部及圈足相應部位上飾扉棱，圈足的扉棱上有圓鏤孔。自肩及圈足通體飾雲雷紋地獸面紋，肩部及圈足上部都飾有數道弦紋。該瓿高大雄渾，製作精美，爲商代銅瓿的代表作。

現藏故宫博物院。

百乳雷紋瓿

商
河南安陽市小屯188號墓出土。
高13.8、口徑17.6厘米。
侈口，束頸，鼓腹，圈足。口下飾三角紋一周，肩飾雲雷紋，腹飾斜方格紋，方格内填乳丁紋、雷紋，圈足飾目紋。
現藏臺灣"中央研究院歷史語言研究所"。

勾連雷紋瓿

商
河南安陽市武官1號墓出土。
高16.8、口徑16厘米。
肩飾鉤喙龍紋九個，以雲雷紋襯地，腹飾勾連雷紋，足飾雲雷紋和三個長方形鏤孔。
現藏中國社會科學院考古研究所。

婦好帶蓋瓿

商

河南安陽市殷墟婦好墓出土。

高33、口徑21.8厘米。

有蓋隆起如華蓋，頂立菌狀鈕。瓿身爲斂口方唇，頸肩合一，弧肩鼓腹，圈足斜侈。蓋面、肩腹、圈足各施相應的六道扉棱，其中肩腹部有三道扉棱較短，上出突起的對捲角獸頭。器表遍飾花紋，主題紋樣蓋面爲向心狀布局的三獸面，肩部爲相對的六夔龍，腹部爲三個捲角大獸面及六條頭下尾上的夔龍，圈足爲相對的六鳳鳥。所有的主題紋樣皆以帶有突起獸頭的三道扉棱爲中綫對稱分布，其旁襯以雲雷紋。内底中部鑄有“婦好”銘文。

現藏中國國家博物館。

獸面紋帶蓋瓿

商

河南安陽市殷墟婦好墓出土。

高47.6、口徑29.8厘米。

通體飾扉棱六道，雷紋襯地蓋面，肩部飾鳥紋，肩部浮雕獸頭三個。腹飾獸面紋，圈足飾龍紋。

現藏河南博物院。

四羊首瓿

商
高38.8、口徑31.6厘米。
肩飾四高浮雕羊首，間以鳥形扉棱，羊角與鳥形扉棱間再飾龍紋。腹上部飾渦紋、四瓣目紋組成的帶狀紋一周，下飾斜方格百乳雷紋，間飾扉棱，高圈足飾三方形鏤孔，下飾獸面紋。
現藏上海博物館。

百乳雷紋瓿

商
傳河南安陽市武官村出土。
高13厘米。
頸飾弦紋兩周，肩飾龍紋和聯珠紋，腹飾斜方格百乳雷紋，圈足內底有一龜紋。
現藏法國巴黎吉美美術館。

乳釘雷紋蛙飾瓿

商
高24.5厘米。
肩飾三浮雕蛙形飾，間飾扉棱。肩飾龍紋和魚紋，腹飾魚紋和斜方格乳釘雷紋，圈足飾大方形鏤孔，下飾勾連雲紋。
現藏美國舊金山亞洲藝術博物館。

斝方彝

商
傳河南安陽市出土。
高22.8厘米。
蓋、腹飾獸面紋、口下與圈足各飾一周目雷紋。器、蓋對銘，各有一字。
現藏美國舊金山亞洲藝術博物館。

婦好方彝

商

河南安陽市殷墟婦好墓出土。

高36.6厘米，口長18.9、寬14.6厘米。

體態瘦高，四阿頂形器蓋，上置有四阿唇形鈕。器身口部略小于底部，腹與圈足分別明顯，圈足上端略小于下端。全器轉角處及四面中綫處均施扉棱。蓋面飾倒獸面處，器腹上飾鳥紋下飾大獸面紋，圈足飾龍紋。主紋均以雷紋襯地。蓋内長邊一面有銘文二字。

現藏中國社會科學院考古研究所。

獸面紋方彝

商
傳河南安陽市出土。
高21.7厘米。
蓋、腹飾獸面紋，口下飾一周鳥紋，圈足飾龍紋，通體以雷紋爲地。
現藏日本神户白鶴美術館。

鼎方彝

商
高21.3厘米，口長9.7、寬13.1厘米。
蓋、腹飾獸面紋，口飾鳥紋，圈足飾龍紋、通體以雷紋襯地。蓋鑄銘文“鼎”字。
現藏上海博物館。

鼎方彝

商

高21.5厘米。

蓋面、器頸、圈足飾鳳鳥紋，腹飾獸面紋，通體以雷紋襯地。器有一銘文“鼎”字。

現藏英國倫敦埃斯肯納齊行。

史方彝

商

高27厘米。

蓋、腹飾獸面紋，口下飾鳥紋，圈足飾龍紋，均以雷紋襯地。蓋、器同銘“史”字。

現藏日本神户白鶴美術館。

亞獸方彝

商

高25.4厘米。

通體以雷紋襯地，蓋、腹飾獸面紋，口下飾鳥紋，圈足飾龍紋，在凸起主紋上亦飾雷紋。

現藏美國紐約大都會藝術博物館。

右方彝

商

河南安陽市武官1022號墓出土。

高27.2厘米，口長15.8、寬12.6厘米。

通體以雲雷紋爲地，頸及圈足飾龍紋，蓋與器身飾獸面紋。器蓋對銘，各有一字。

現藏臺灣“中央研究院歷史語言研究所”。

爰方彝

商

河南安陽市戚家莊269號墓出土。

高23.8厘米，口長13.6、寬12.3厘米。

蓋爲子口，器爲母口。蓋、鈕、腹皆飾獸面紋，口下及圈足飾龍紋，均以雲雷紋襯地。器、蓋對銘一“爰”字。

現藏河南省安陽市文物工作隊。

子蝠方彝

商

高29.3厘米，口長14.6、口寬17.1厘米。

蓋、腹飾獸面紋，口下飾鳥紋，圈足飾龍紋。通體以雷紋爲地。蓋、器同銘“子蝠”二字。

現藏美國哈佛大學福格美術館。

寧方彝

商
傳河南安陽市出土。
高26.5厘米。
蓋、腹飾獸面紋，口下及圈足飾龍紋，
通體以雷紋爲地。器内有銘文一字。
現藏德國科隆東亞藝術博物館。

婦好雙聯方彝

商

河南安陽市殷墟婦好墓出土。

高60、長88.2厘米。

四阿頂形蓋轉折處起扉棱，中脊靠邊有對稱的短柱鈕，蓋檐下出斜梁頭。器身爲直口方唇，短頸折肩，直腹平底，高直圈足。腹部兩側出附耳，圈足下端中部有缺口。器身四中四隅各施扉棱三段，與蓋上扉棱相對。蓋面兩側的中部爲梟面，梟面與中央梁頭相對，後者正好充當鳥的喙部，構思頗爲巧妙。器身肩部中出獸首（前後）或象頭（左右），旁立鳥紋，腹部中央飾以獸面紋，圈足飾以螭虺紋和夔龍紋；紋飾均以雲雷紋襯地。器内鑄“婦好”銘文。整個器物造型好似一座倉房。現藏中國國家博物館。

勾連雷紋壺

商

傳河南安陽市出土。

高17.5厘米。

半球形蓋，小口長頸，鼓腹，圈足。蓋面及頸部有三條扉棱，飾淺浮雕獸面紋，肩飾一周目紋，腹飾勾連雷紋，圈足飾雲雷紋。

現藏美國華盛頓弗利爾美術館。

雷紋壺

商

傳河南安陽市出土。

高17.5厘米。

蓋飾獸面紋，器身飾曲折雷紋和龍紋。圈足飾雲雷紋。

現藏德國科隆東亞藝術博物館。

曲折雷紋壺

商
高26.5厘米。
貫耳，蓋飾渦紋，肩飾雲紋，以聯珠紋爲界欄。
腹上部飾目雷紋一周，下飾斜方格曲折雷紋。
現藏美國明尼阿波利斯藝術館。

“X”壺

商
高25.3、腹徑15.3厘米。
肩兩側各有一鈕。肩飾獸體目紋，腹滿飾獸面紋。
圈足有三圓形鏤孔，内壁鑄一銘文“X”。
現藏上海博物館。

婦好壺

商

河南安陽市殷墟婦好墓出土。

高52.2、口徑20.5厘米。

扁圓形體，長頸，鼓腹，圈足。頸兩側有對稱獸首形貫耳。通體飾扉棱四道，蓋下飾獸面紋，頸飾鳥紋，腹部飾兩周大獸面紋，圈足兩側飾對稱鏤孔，下飾龍紋，均以雷紋襯地。底内中部有銘文二字。

現藏中國社會科學院考古研究所。

獸面紋壺

商

高29.7厘米，口長16.4、寬11厘米。

橢圓形體，頸兩側飾貫耳，腹飾獸面紋兩組，上爲虎頭紋，下爲牛首，兩側配飾龍紋，圈足飾雲紋。

現藏上海博物館。

獸面紋壺

商

山西長治市西白兔乡南村出土。

高29.8厘米，口長15.6、寬12厘米。

頸部有貫耳，圈足有圓形鏤孔。頸上部飾弦紋，下部與腹部飾牛角獸面紋，雷紋襯地。圈足飾雷紋。

現藏山西省長治市博物館。

獸面紋壺

商

高35.6厘米。

橢圓形體，頸兩側設貫耳。器飾倒置的獸面紋，間飾蟬紋及龍紋。

現藏美國舊金山亞洲藝術博物館。

先壺

商

傳河南安陽市出土。

高33.4厘米，口長15.3、寬11.7厘米。

扁圓形體，頸兩側飾對稱獸面紋貫耳。腹部上下飾一正一反獸面紋，圈足飾獸體目紋。腹内底鑄銘文一字。

現藏上海博物館。

㪤壺

商

傳河南安陽市出土。

高33厘米。

橢圓形體，頸兩側飾對稱貫耳。頸、腹飾獸面紋，圈足飾雷紋。器内有銘文一字。

現藏美國舊金山亞洲藝術博物館。

細直頸提梁壺

商

湖北武漢市黃陂區盤龍城遺址出土。

通高31、口徑7.8厘米。

直口加蓋，小口細頸。肩附提梁，梁呈索形，有鏈與壺蓋環鈕相連。腹膨出，低圈足。頸飾三道弦紋，肩上飾獸面紋，上加聯珠紋，下界兩道弦紋。腹飾獸面紋，上下以聯珠紋爲欄。圈足上有鏤孔。此壺造型頗具特點，頸部細直，開以後曲頸鼓腹壺的先河。

現藏湖北省博物館。

長腹提梁壺

商

河南鄭州市向陽回族食品廠出土。

高50、口徑12厘米。

壺屬粗頸長腹類。蓋頂隆起，有菌狀鈕，鈕柱上套環鏈與提梁相連。壺身的口部微斂，頸部不明顯，頸旁環鈕內套蛇首提梁；腹部深長，下腹漸鼓，圈足較高，上有四個圓形鏤孔。提梁飾菱形紋，頸部飾上下界以雲雷紋的獸面紋帶，腹部爲兩個高立羽的大獸面紋，圈足飾上下界以聯珠紋的雲雷紋。該長腹壺形制獨特，與以後先後流行的細長頸鼓腹壺及粗短頸中腹壺皆不相同。

現藏河南博物院。

獸面紋提梁壺

商

河南安陽市武官1022號墓出土。

高28、口徑7.4厘米。

獸首形提梁，提梁表面飾雲雷紋。蓋有鈕，以蛙形鏈同提梁内側環鈕相連。通體紋飾以獸面紋爲主體，雲雷紋襯地。現藏臺灣“中央研究院歷史語言研究所”。

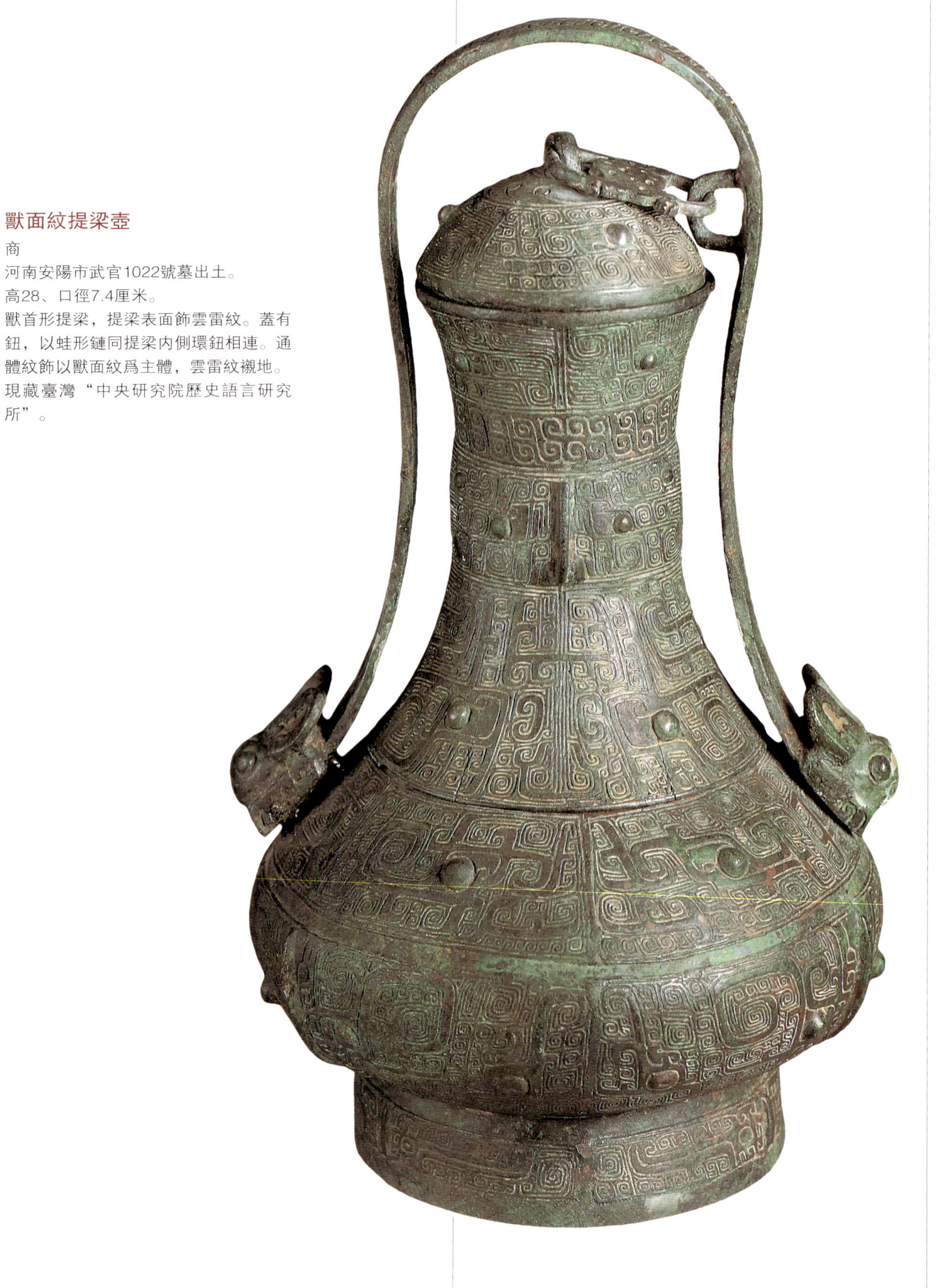

獸面紋提梁壺

商

河南安陽市殷墟婦好墓出土。

高35.4、口徑8.8厘米。

侈口、長頸，圓鼓腹，圜底，圈足。腹有對稱小環鈕，上穿龍首提梁，梁面正中起細長扉棱。蓋頂立鳥，有一附加龍、鳥組成的環帶，鳥尾環形，與提梁內側小環套合。頸、腹、足均有細棱，圈足上端兩側有長方形鏤孔。頸、腹均飾獸面紋，雷紋襯地。

現藏中國社會科學院考古研究所。

北單提梁壺

商

河南安陽市武官1號墓出土。

高25.4、口徑7厘米。

獸首形提梁。提梁表面飾斜方格紋，與蓋以一伏蟬活環相銜接。蓋頂飾三角雲雷紋，頸飾以雲雷紋襯地的獸面紋，圈足飾雲雷紋。足底有一銘文。

現藏中國國家博物館。

獸面紋提梁壺

商

傳河南安陽市出土。

高37.5厘米。

獸首形曲頸提梁，脊起扉棱，兩側飾曲折紋，内側有鼻，以鏈與蓋鈕相連。蓋立鳥形鈕，蓋面飾雲雷紋。口下飾鳥紋，頸、腹飾獸面紋，圈足飾龍紋。

現藏美國舊金山亞洲藝術博物館。

冊告提梁壺

商

傳河南安陽市出土。

高30.1厘米。

獸首曲頸提梁，脊起扉棱，内側有鼻，以鏈與蓋鈕相連。蓋鈕作鳥頭狀，蓋面紋飾爲鳥身及翼。頸飾獸面紋和鳥紋，腹飾鴞紋，圈足飾雷紋。器底有銘文二字。

現藏美國華盛頓賽克勒美術館。

小子省壺

商

高35.9、口徑10.6厘米。

繩索形提梁，腹下部有一環形鈕。蓋、圈足飾鳥紋，頸飾顧首花冠龍紋。腹銘二十二字，蓋銘一字。

現藏上海博物館。

四祀邲其提梁壺

商

高34.5厘米。

器形爲商代後期較少見的長體提梁壺。覆碗形蓋，長直頸，斜肩鼓腹，斜圈足。頸上兩側出半環耳，内套獸首提梁。在頸耳部位的兩道聯珠紋間飾簡化獸面紋和雲雷紋。銘文八行四十二字，記載了在某商王四年，商王連續三天舉行三種祭祀活動，并自乙酉這天賞賜邲其貝的事情。銘文中的“尊文武帝乙宜”，與周原甲骨文中的“彝文武帝乙宗”可相印證，是此壺應爲商王帝辛時期製品的證明。

現藏故宫博物院。

獸面紋提梁壺

商

高25.3、寬15.9厘米。

龍首形提梁，蓋、頸、器腹均飾大獸面紋、口下及圈足飾雲雷紋。通體以雷紋襯地，腹、圈足飾扉棱。

現藏故宮博物院。

鳶祖辛提梁壺

商

高36.4、寬18.4厘米。

獸面形提梁，面飾三角紋，蓋沿、器頸、圈足均飾獸面紋，以雷紋襯地。頸兩面中部浮雕獸首。蓋、器對銘“鳶祖辛”三字。

現藏故宮博物院。

二祀邲其提梁壺

商

傳河南安陽市出土。

高38.4厘米。

屬短體提梁壺。蓋爲瓜棱形鈕、弧頂、曲壁，器身頸部不顯，斜肩垂腹，折壁式圈足，肩兩側半環耳内套提梁。蓋面及頸部飾象頭紋，提梁及圈足飾夔龍紋。蓋内、器底内都鑄有“亞獏父丁”的記名銘文，器底外另鑄記事銘文七行三十九字，記載了某商王二祀正月丙辰這天，邲其因服事商王得到“貝五朋”賞賜之事。該壺是商代後期少見的長銘銅器。銘文中記載的“上下帝”，是瞭解商人天道觀中的天人關係的重要材料。

現藏故宫博物院。

亞盥提梁壺

商

河南安陽市苗圃172號墓出土。

高29.5、腹徑16.5厘米。

橢圓形器。肩飾對耳，内穿繩索形提梁。蓋飾雲雷紋、蕉葉紋，腹、圈足均飾龍紋，以雲雷紋襯地。蓋内有銘文二字。

現藏中國社會科學院考古研究所。

鳥紋提梁壺

商

河南安陽市武官2046號墓出土。

高20.2、口徑7.7-10.1厘米。

橢圓形器。肩飾對耳，耳穿繩索形提梁。蓋、頸均飾鳥紋，以聯珠紋爲欄。頸中部浮雕獸首。

現藏臺灣“中央研究院歷史語言研究所”。

㠯母父乙提梁壺

商

高31.4、寬27.7厘米。

獸首形提梁，蓋、器通飾扉棱。蓋面與腹飾浮雕大獸面紋，蓋沿與圈足飾夔龍紋，均以雷紋襯地。蓋、器對銘四字，記“㠯母父乙”。

現藏故宮博物院。

子提梁壺

商
高28、寬22.5厘米。
橢圓形器，繩索形提梁。蓋沿與器頸同飾獸面紋，頸兩面中部浮雕獸首。蓋、器同銘三行十五字，記子爲婦㚸作器事。
現藏故宫博物院。

鳶提梁壺

商
傳河南安陽市出土。
高36.5厘米。
橢圓形器。自蓋至圈足飾扉棱四道，獸頭形提梁，梁身飾蟬紋。蓋面、腹部均飾獸面紋，蓋沿飾龍紋，頸部、圈足均飾鳥紋。器内底有銘文一字。
現藏美國華盛頓弗利爾美術館。

明提梁壺

商

山西靈石縣旌介村出土。

高30.4厘米，口長11、寬8.4厘米。

橢圓形器，肩飾對耳，耳穿繩索形提梁，蓋面、頸部均飾長冠鳳紋，以聯珠紋爲欄。蓋沿飾蕉葉紋，頸中部飾浮雕獸首，蓋、器對銘“明”字。

現藏山西省考古研究所。

鳥紋提梁壺

商

河南羅山縣後李村出土。

高29.5厘米，口寬11、長16.5厘米。

橢圓形器，肩飾對耳，耳穿繩索形提梁。蓋面飾龍紋，沿飾蕉葉紋。頸飾鳥紋，均以雷紋襯地，頸中部飾浮雕獸首。

現藏河南博物院。

𠆩提梁壺

商

陝西岐山縣賀家村出土。

高21.3厘米，口長8.1、寬6.7厘米。

橢圓形器，自蓋至圈足飾扉棱四道，龍首形提梁，表面浮雕龍身。蓋面、腹部飾獸面紋，蓋沿、頸部飾鳥紋，圈足飾龍紋，器內底鑄銘文一字。

現藏陝西省岐山縣博物館。

戉箙提梁壺

商

高33.3厘米，口寬13.7、長15厘米。

橢圓形器，自蓋至圈足飾扉棱四道。獸首形提梁，面飾龍紋，蓋面、腹部飾獸面紋，頸飾鳥紋，蓋沿、圈足飾龍紋。通體以雲雷紋襯地。蓋與器壁均有銘文。

現藏上海博物館。

鳳紋提梁壺

商

河南安陽市郭家莊160號墓出土。

高35.8厘米，口長15、寬13.5厘米。

壺蓋爲屋形，蓋頂有菌狀鈕，側壁出對稱的翹耳，器身子口納于蓋壁之内；壺身爲直頸，斜肩，垂腹，高圈足，提梁爲了避開側壁伸出的兩耳而置于壺身前後，與通常的橢圓形提梁壺提梁的設置狀况有所不同。壺外四軸綫處從上至下均設寬厚的扉棱，其間器表布滿紋飾，其主題紋樣除提梁上爲四條夔龍紋外，其餘均爲鳳鳥紋。鳳鳥紋呈寬帶狀布局，其間以直棱紋相隔，蓋頂、蓋壁、壺頸、圈足部位的鳳鳥紋爲長尾，腹部的鳳鳥紋爲短尾。紋飾于統一中寓變化，主次分明，繁富而不冗雜。

現藏中國社會科學院考古研究所。

斧提梁壺

商

高24.6厘米。

自蓋至圈足飾扉棱四道，獸首形提梁，表面飾龍紋。通體以雷紋襯地，蓋面、下腹飾獸面紋，蓋沿、上腹飾鳥紋，肩與圈足飾龍紋。現藏臺北故宮博物院。

亞㠱方壺

商

傳河南安陽市武官村出土。

高39.5厘米。

圓口方體，獸頭形提梁，中脊起棱。蓋頂立鳥形鈕，與提梁以鏈相連。蓋面與肩飾鳥紋，頸飾獸面紋，腹部四隅以相鄰夔龍紋組四個大蟠角浮雕獸面紋，圈足飾龍紋。器內有銘文二字。

現藏日本神户白鶴美術館。

獸面紋提梁壺

商

傳河南安陽市出土。

高33厘米。

自蓋至圈足飾扉棱四道，獸頭形提梁，梁身飾蟬紋。蓋面、腹部均飾獸面紋，蓋沿頸部、腹上部及圈足飾鳥紋。

現藏美國舊金山亞洲藝術博物館。

獸面紋方壺

商

傳河南安陽市出土。

高23.6厘米。

器、蓋四隅及四面中部有扉棱，獸頭形提梁。蓋面與器腹飾獸面紋。蓋沿、頸、腹上部、圈足均飾鳥紋，以雲雷紋襯地。

現藏日本神户白鶴美術館。

司㚸母方壺

商

河南安陽市殷墟婦好墓出土。

高64厘米，口長23.5、寬19.5厘米。

四阿式蓋、通體四隅、四面中部飾扉棱。蓋面、腹部、圈足均飾獸面紋、口下飾三角蟬紋，肩四角各鑄一長尾立鳥，腹上部四面各有一條一頭二身的龍紋，龍頭浮雕、通體以雷紋襯地。

現藏中國社會科學院考古研究所。

亞址提梁壺

商

河南安陽市郭家莊160號墓出土。

高33厘米，口長21.6、寬16.8厘米。

覆鉢形蓋，子母口，斜垂腹，底近平，四柱足。蓋上有二對稱凹形把手。頸兩側有環，穿繩索形提梁。蓋飾以聯珠紋爲界的四組獸面紋。頸飾由龍紋組成的獸面紋帶一周。蓋、底均有銘文。

現藏中國社會科學院考古研究所。

鴞形提梁壺

商

河南安陽市大司空村539號墓出土。

通高19、口長11.5厘米。

平面呈橢圓形，器物造型似兩隻背部相連昂首站立的鴞。蓋隆起作鴞首之形，鴞喙突起如鋬耳，頂上有四阿屋形鈕。器身口部較直，肩部斜傾，腹部外鼓，圜底；形似收翅挺胸的梟身。四足粗矮，也作鴞足之形。在壺頸兩側有半環耳，內套索狀提梁。壺蓋沿及器頸沿各飾一周連珠紋，器表紋飾除鴞的羽翼、毛角和腹部羽片外，其餘空間在雲雷地紋上飾以鳳鳥（肩部）、獸面（腹部）、夔龍紋（足部）。尤其值得注意的是，在素净的器外底上還有陰綫的蟠龍紋一條。該壺屬于殷墟中期，分期明確，可作這類銅壺的標準器。

現藏中國社會科學院考古研究所。

鴞形提梁壺

商
傳河南安陽市出土。
高24.2、口長21.5厘米。
器形爲兩個背立鴞形，四足内空。蓋、腹飾扉棱四道，肩飾對稱獸首形鼻，提梁佚失。蓋爲鴞首，腹爲鴞身，鴞翅和側腹加飾立鳥紋，底飾龍紋，通體以雲雷紋襯地。
現藏美國華盛頓弗利爾美術館。

鴞形提梁壺

商
傳河南安陽市出土。
高16.5厘米。
器形爲兩相背鴞形，蓋面爲鴞首，兩側凸出尖喙，器身爲鴞身，四足有爪，肩有獸首形鼻，提梁缺失。通體以雲雷紋襯底。
現藏英國劍橋大學菲茨威廉博物館。

鴞形提梁壺

商

河南羅山縣後李村出土。

高21厘米，口寬11.5、長12.5厘米。

器形爲兩個背立鴞形，蓋、器飾扉棱四道，龍首形提梁。蓋飾獸面紋，腹飾鴞翼和龍紋，足飾龍紋，器底鑄龜紋。

現藏河南博物院。

鴞形提梁壺

商

湖北應城市采集。

高25厘米。

器形爲兩相背鴞形，蓋爲鴞首，鴞喙翹出，面飾獸面紋，器身飾鴞翼，足素面。肩飾對耳，内穿繩索形提梁。

現藏湖北省應城市博物館。

鴞形提梁壺

商

河北辛集市徵集。

高40厘米。

器側有獸首提梁。蓋和器身四面起扉棱。蓋頂面和器腹部飾獸面紋，蓋下部、器肩和圈足飾夔紋。

現藏河北省博物館。

婦好虎鴞卣

商

河南安陽市殷墟婦好墓出土。

高22、長28.4厘米。

器兩件成對，差别甚微。卣平面呈橢圓形，整體造型如同背向的虎和鴞。器口前高後低，隨勢做出器蓋。蓋前爲伸出的虎頭，後爲鴞首，二者間的背脊連扉棱。器身前有寬流，後有短尾，收頸，鼓腹，中圈足，圈足微外撇。在觥身前端從上至下飾一道扉棱，後端則設一帶獸頭的鋬。卣的主題紋樣僅爲一虎一鴞：蹲踞之勢的虎飾于器物前部，仰首而立的鴞位于器物後部。蓋上的虎頭和鴞首與器上的虎身和鴞身紋飾相連，虎脊上飾的側扉狀花紋既起到了分隔虎紋和鴞紋的作用，又使得蓋與器身紋樣渾然一體。銘文鑄于内底中部，僅圖案化的“婦好”二字。

現藏中國社會科學院考古研究所。

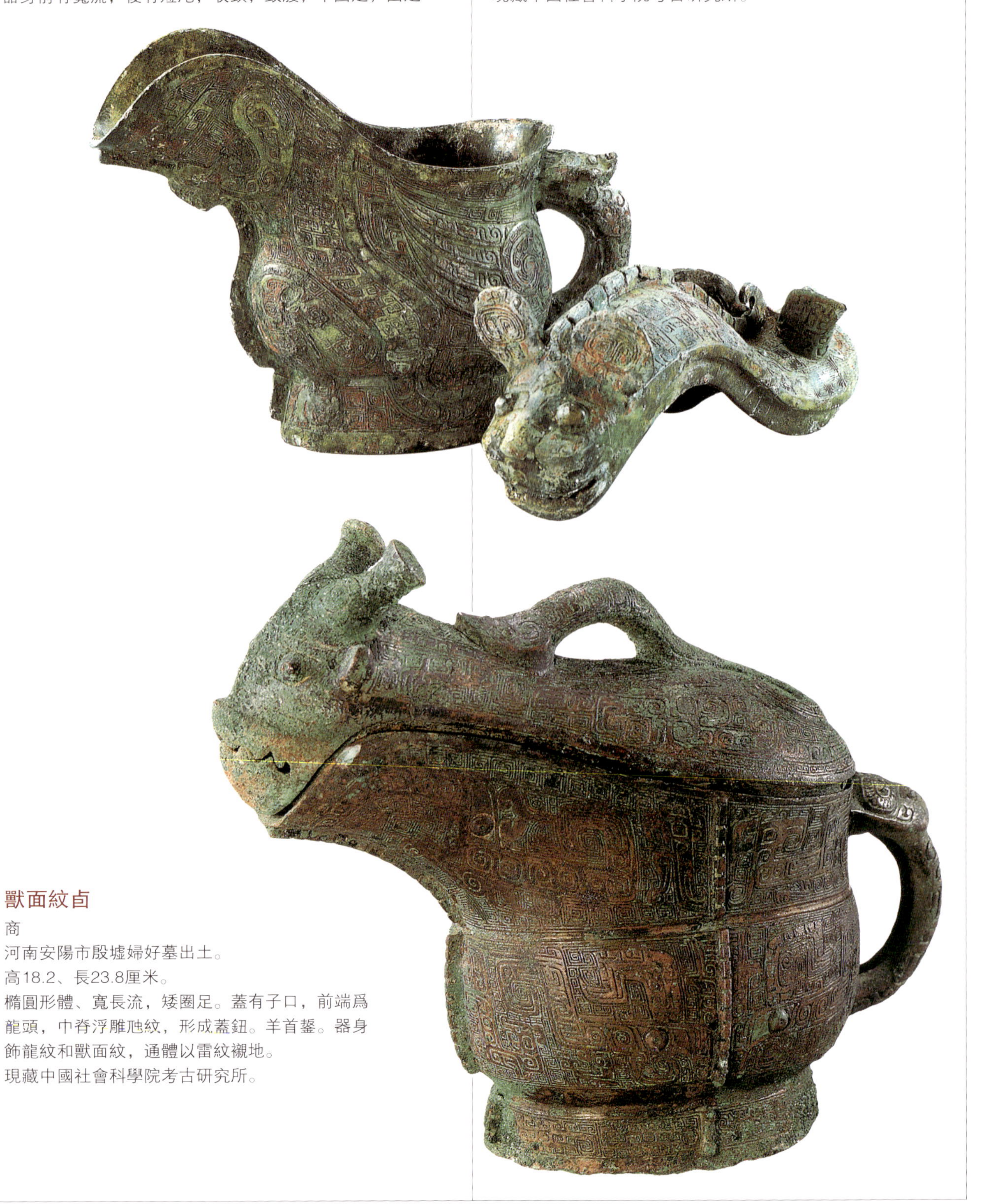

獸面紋卣

商

河南安陽市殷墟婦好墓出土。

高18.2、長23.8厘米。

橢圓形體、寬長流，矮圈足。蓋有子口，前端爲龍頭，中脊浮雕虺紋，形成蓋鈕。羊首鋬。器身飾龍紋和獸面紋，通體以雷紋襯地。

現藏中國社會科學院考古研究所。

虎紋卣

商

高24.8厘米。

橢圓形器，獸首形鋬。蓋前端作虎頭形，器腹前部爲虎身紋，前腿蜷曲，後腿蹲踞，虎尾後捲。蓋尾部鴞首形，器腹後部飾羽翼紋，器蓋相合儼爲完整鴞。蓋器還填飾有不同形式的龍紋和鳳鳥紋等。通體以雷紋襯地。

現藏美國哈佛大學福格美術館。

獸面紋卣

商

高22.4厘米。

蓋前端作獸面形，頂飾立虎鳥形鈕。獸首鋬，口沿下飾龍、象和兔紋等，腹飾獸面紋，圈足飾龍紋。

現藏日本京都泉屋博古館。

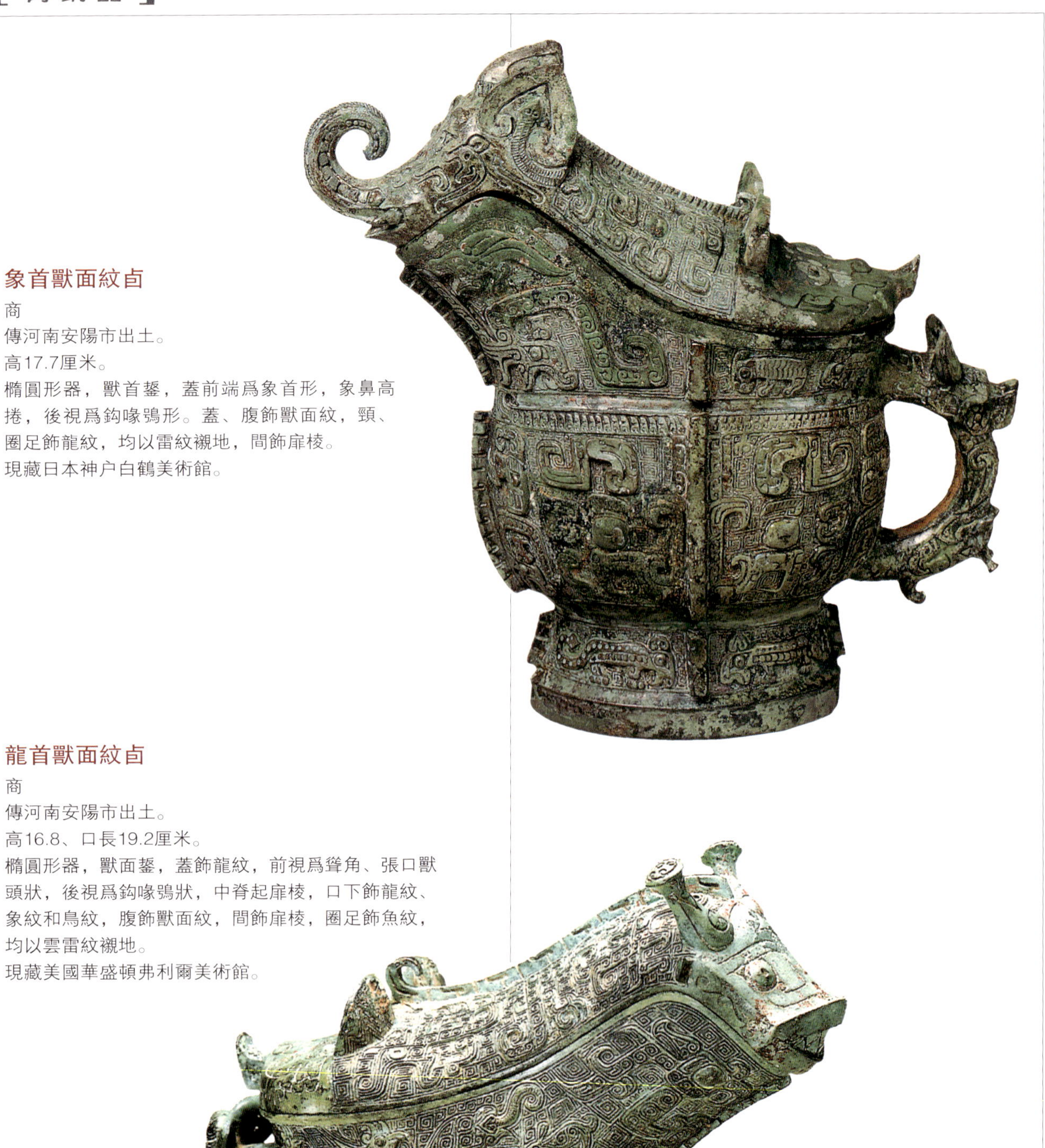

象首獸面紋卣

商

傳河南安陽市出土。

高17.7厘米。

橢圓形器，獸首鋬，蓋前端爲象首形，象鼻高捲，後視爲鈎喙鴞形。蓋、腹飾獸面紋，頸、圈足飾龍紋，均以雷紋襯地，間飾扉棱。

現藏日本神户白鶴美術館。

龍首獸面紋卣

商

傳河南安陽市出土。

高16.8、口長19.2厘米。

橢圓形器，獸面鋬，蓋飾龍紋，前視爲聳角、張口獸頭狀，後視爲鈎喙鴞狀，中脊起扉棱，口下飾龍紋、象紋和鳥紋，腹飾獸面紋，間飾扉棱，圈足飾魚紋，均以雲雷紋襯地。

現藏美國華盛頓弗利爾美術館。

鴞紋卣

商
傳河南安陽市出土。
高22.4厘米，口長33、寬12.7厘米。
失蓋。器正面飾勾喙鴞紋，口下兩側飾龍紋。獸頭形鋬，後腹鋬兩側飾虎紋，通體以雷紋襯地。
現藏美國紐約大都會藝術博物館。

獸面紋卣

商
傳河南安陽市出土。
高22.8厘米。
橢圓形器，蓋前端作獸頭狀，後端爲獸面紋。中脊兩側飾龍紋。羊首鋬，口下飾龍紋和象紋，腹飾獸面紋，圈足飾鳥紋，間飾扉棱，通體以雲雷紋襯地。
現藏美國舊金山亞洲藝術博物館。

獸面紋兕卣

商

高14.9、寬19.8厘米。

獸頭形蓋，角間起脊棱，側飾龍紋。腹飾獸面紋，後有獸面形鋬。圈足飾目雷紋。

現藏故宮博物院。

𠦪父乙卣

商

高29.5、長31.5厘米。

橢圓形器，蓋前端爲獸首形，後飾牛角形獸面紋，中脊浮雕龍紋，側飾鳳紋，器身周身亦飾鳳紋，主鳳爪置于圈足之上。

現藏上海博物館。

獸面紋卣

商

山西靈石縣旌介村出土。

高21.5、長24厘米。

橢圓形器，蓋前端爲獸首形，後端浮雕獸面紋，獸首形鋬。頸飾龍紋和鳥紋，腹飾獸面紋，圈足飾鳥紋，間飾扉棱，通體以雲雷紋襯地。

現藏山西博物院。

睨卣

商

河南安陽市郭家莊53號墓出土。
高19.2、圈足長徑9厘米。
橢圓形器，蓋前端爲一鹿頭，
後端有尾。蓋内有銘文六字。
現藏中國社會科學院考古研究所。

㠯非卣

商

高23.5厘米。
橢圓形器。蓋飾龍紋，前端虎首形，後部浮
雕鴞首。器身後部作長頸禽形立鋬，器腹飾
羽翼，雙腿屈于圈足上、口沿下飾目雷紋。
器、蓋對銘，鑄有兩字。
現藏美國華盛頓弗利爾美術館。

六足鳥獸紋卣

商

高31.4、長31.5、寬21.5厘米。

口爲蓋所罩，蓋前端隨器流升起，作羊角獸頭之形；蓋脊卧龍，後端下降，作牛角獸頭的模樣。在蓋的兩側分别鑄有淺浮雕狀的虎、魚、象紋。身前有短流，流下微收，前腹鼓而後腹直。腹前部作成鴞之形，鴞喙伸出器外，鴞足即器之前足。腹後部爲折角大獸面，獸的大口左右各含一人，充當器之後足。身後端設獸首和立鳥構成之鋬，獸首張口含鳥頭，立鳥雙足及地，成爲卣的另外二足。在卣的主題紋樣外的空餘處，還填有對鳥、對虺等附屬紋樣。蓋、身所有動物紋樣均以細密的雲雷紋襯地。

現藏美國華盛頓弗利爾美術館。

弦紋袋足盉

商

河南鄭州市東里路出土。

高21厘米。

圓頂管狀流，鶏心形口，分襠三袋足，

器側大鋬，上部寬平，上腹飾弦紋。

現藏河南博物院。

獸面紋袋足盉

商

河南中牟縣黄店鎮出土。

高25厘米。

頂圓鼓，管狀流，鶏心形口，分襠三袋足。流兩側有二

圓餅形飾構成一簡單獸面，上腹飾三組單綫獸面紋。

現藏河南博物院。

婦好封口盉

商

河南安陽市殷墟婦好墓出土。

高38.3厘米。

兩件成對，此爲其一。封口，頂面隆起，上立管流。高頸，高袋足，分襠。與流口相對的頸、足間設獸首鋬。頂面滿布雲雷紋地的花紋，管流兩側各有一夔龍，其後爲一大獸面。獸面張大的嘴也就是盉口。盉頸飾斜角雲紋，袋足上各飾一雲雷紋地的大獸面紋。在鋬内鑄有“婦好”的銘文。婦好封口盉是這類銅器演變序列最後的代表作。

現藏中國社會科學院考古研究所。

卵形盉

商

河南安陽市殷墟小屯331號墓出土。

高21.7、口徑4.8厘米。

卵形腹，腹一側有管狀流，三柱足，頸兩側飾對稱貫耳。菌鈕，鈕飾渦紋，餘皆素面。

現藏臺灣“中央研究院歷史語言研究所”。

中方盉

商

河南安陽市侯家莊1001號大墓出土。

高71厘米。

中方盉與左、右方盉同出，大小形態相近，裝飾略有不同。封頂，流仰向前，口開于後，侈口，捲沿，高頸，折肩，分襠，袋足下接柱狀實足根，與流相對的頸、腹間設升龍形鋬。盉頂前後中縫及盉身三中（後面中縫處爲鋬）四隅均施扉棱。紋飾從上至下，流伏龍虎，頂蓋獸面，頸飾蕉葉及一周相背的夔龍，肩飾一周相對的夔龍及鳳鳥，袋足以四隅爲中心飾捲角獸面。在頸、肩之間的前面及側面，均出立體的獸首。"中"字銘文皆鑄于鋬内。中方盉與左、中方盉都形體碩大，造型優雅，裝飾複雜，堪稱中國銅器藝術的精品。盉上銘文對于研究商文化銅禮器的配列也有啓迪作用。現藏日本東京根津美術館。

左方盉

商

河南安陽市侯家莊1001號大墓出土。

高73厘米。

管狀頂流，袋足。造型和紋飾與中、右方盉大同小异。不同之處主要有三：一是左方盉袋足上的獸面紋爲折角獸面，而中、右方盉分别爲捲角獸面或彎角獸面紋；二是左方盉鋬的造型爲蹲獸形，而中、右方盉分别爲升龍形或立鳥形；三是銘文表示爲“左”。它是與中、右方盉是有關聯的銅器。

現藏日本東京根津美術館。

右方盉

商

河南安陽市侯家莊1001號大墓出土。

高72.1厘米。

管狀頂流，袋足。造型和紋飾與中、左方盉基本相同，不同之處是右方盉袋足上飾彎角獸面紋，鋬造型爲立鳥形，銘文表示爲“右”而已。它是與中、左方盉是有關聯的銅器。

現藏日本東京根津美術館。

龍紋盉

商

河南安陽市殷墟婦好墓出土。

高29.5、口徑5.5厘米。

器呈卵形，提梁兩端爲蛇首形，

通體飾雲、雷、龍與三角紋。

現藏河南博物院。

揚從盉

商

山東青州市蘇埠屯出土。

高29、口徑11.2厘米。

蓋內及柄部均銘“作揚從彝”。

頸部和蓋面均飾獸面紋一周。

現藏山東省博物館。

亞鳥寧盉

商

高31、寬12.5厘米。

蓋頂有菌狀鈕，面飾渦紋，蓋、器間有環鏈相連。獸首形鋬，蓋沿、器頸均飾獸面紋，流飾三角紋和雷紋。鋬下器壁刻銘二行六字“亞鳥寧從父丁”。

現藏故宮博物院。

馬永圈足盉

商

傳河南安陽市出土。

通高25.1厘米。

器體呈口頸和圈足略微收束的圓柱體，頸上有半環形鈕、套索狀提梁，肩下出圓筒狀流。蓋菌狀鈕帽上飾渦紋，蓋面飾一圈斜角雲紋，頸肩飾夔龍紋一周，腹部飾直棱紋，圈足飾一周反捲雲紋，流上還飾有蕉葉紋。有銘“馬永”二字。盉的造型上下似提梁壺而中部似盉，在商周銅盉中僅此一例。

現藏中國國家博物館。

人面蓋圈足盉

商

傳河南安陽市出土。

高18.5、口徑12厘米。

盉以帶龍角的人面爲蓋，人面兩耳平出，中有圓穿與器身獸首穿孔相對，以穿貫耳繩索。盉身低矮，斂口，斜頸，斜肩，垂腹，圈足，頸肩相交的前部安管狀流，兩則施獸首貫耳。人面呈濃眉、大眼、闊鼻、寬嘴之形，腦後有陰綫的相對夔龍。盉身主題紋樣是一條自上而下蟠繞器身的龍紋，其軀幹上端與盉蓋人面後腦相連，兩前肢接于人面兩耳之下，曲肘向前擁護管流。龍蛇紋軀幹以重鱗紋和勾連紋爲邊，其間填以大方格紋，其外以雲雷紋爲地。地紋上另有張口含流的對螭紋和分居龍蛇軀幹兩側的立鳥紋和垂龍紋。另在管流上和圈足上也分别有陰綫的夔龍紋和對捲雲紋。此盉采用了中國古代神話常見的人首龍（蛇）身的神祇形象，造型與花紋結合爲一體，構思巧妙。

現藏美國華盛頓弗利爾美術館。

人面蓋圈足盉側面

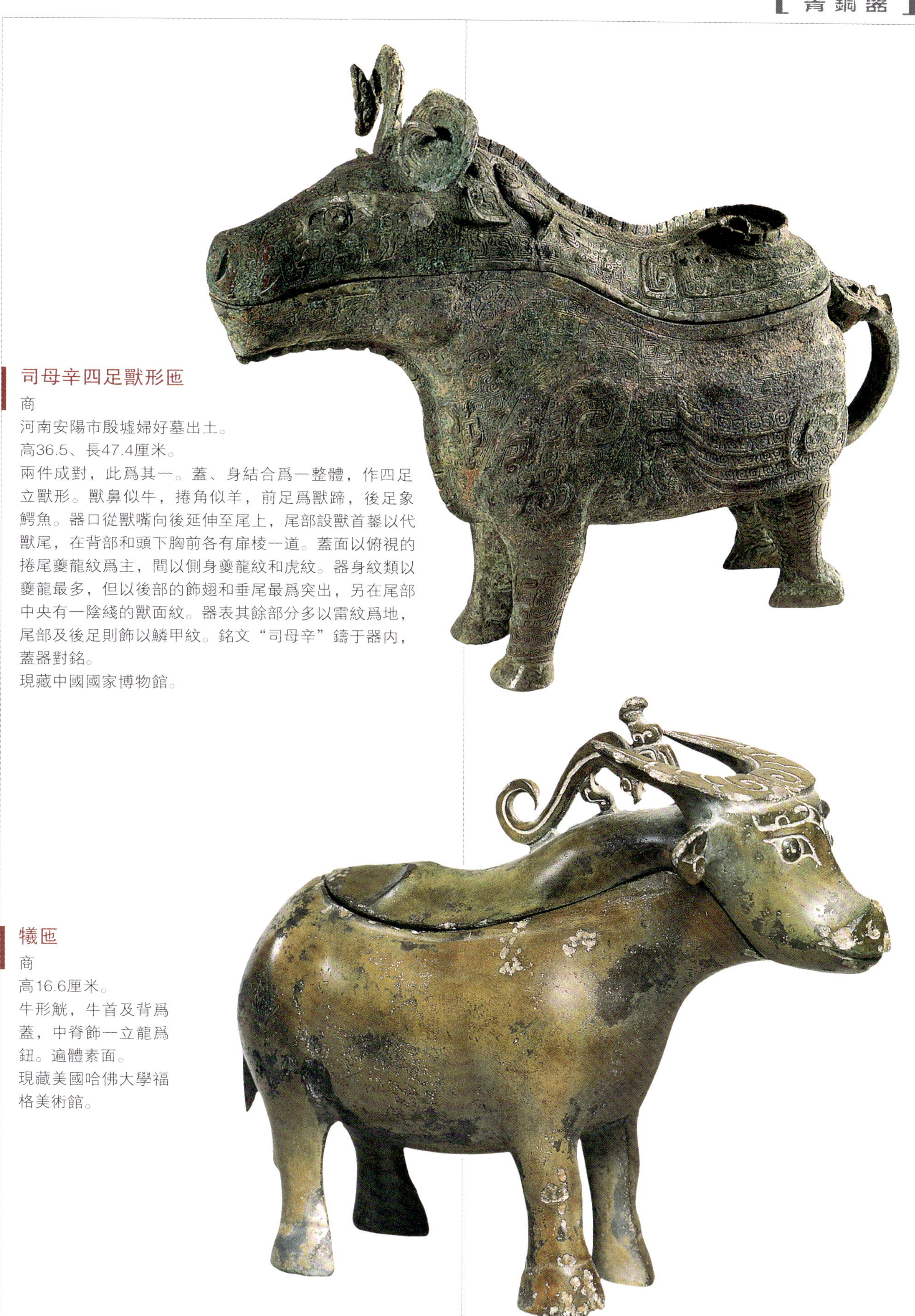

司母辛四足獸形匜

商

河南安陽市殷墟婦好墓出土。

高36.5、長47.4厘米。

兩件成對，此爲其一。蓋、身結合爲一整體，作四足立獸形。獸鼻似牛，捲角似羊，前足爲獸蹄，後足象鰐魚。器口從獸嘴向後延伸至尾上，尾部設獸首鋬以代獸尾，在背部和頭下胸前各有扉棱一道。蓋面以俯視的捲尾夔龍紋爲主，間以側身夔龍紋和虎紋。器身紋類以夔龍最多，但以後部的飾翅和垂尾最爲突出，另在尾部中央有一陰綫的獸面紋。器表其餘部分多以雷紋爲地，尾部及後足則飾以鱗甲紋。銘文“司母辛”鑄于器內，蓋器對銘。

現藏中國國家博物館。

犧匜

商

高16.6厘米。

牛形觥，牛首及背爲蓋，中脊飾一立龍爲鈕。遍體素面。

現藏美國哈佛大學福格美術館。

鳳鳥紋羊匜

商

高15.4厘米。

羊形觥，羊首及背爲蓋，蓋中脊浮雕龍、鳥，兩側飾獸面紋。器身滿飾鳳紋，以雲雷紋襯地。

現藏日本藤田美術館。

夔紋盤

商

河南鄭州市白家莊出土。

高10.5、口徑30厘米。

敞口，沿外折，平底，圈足。腹飾夔紋，圈足有對稱的十字形鏤孔。出土時器表粘附木質痕。

現藏河南省鄭州市博物館。

大圈足盤

商

湖北武漢市黄陂區盤龍城遺址出土。

高11.2、口徑26.2厘米。

寬沿外折，沿呈階狀，腹壁弧形下收，平底，下接圈足。腹外飾單層寬綫條組成的獸面饕龍紋帶，圈足上有十字形鏤孔。盤是商代中期之際新出現的器類，數量很少，僅在較大的墓葬中才有出土。此盤爲已知最早的銅盤之一。

現藏湖北省博物館。

婦好龍紋大圈足盤

商

河南安陽市殷墟婦好墓出土。

高13、口徑36.6厘米。

盤爲大圈足型。敞口窄沿，腹部較深，圜底較厚，圈足斜直，足部上方近盤底處有方形鏤孔。盤外壁飾雲雷紋地的紋飾兩周：腹爲行游狀捲尾夔龍紋，圈足爲反首長身鳳鳥紋。盤内壁中央爲首部居中、身尾外繞的蟠龍紋，龍首兩側有圖案化的“婦好”銘文，尾端另有一鳥紋。周圍一圈相間的三組（九條）行龍、鳳鳥和游魚紋。此盤花紋複雜多樣，作器者和年代較明確，是這一時期商文化銅盤中最具代表性的一件。

現藏中國社會科學院考古研究所。

龍魚紋盤

商
河南安陽市殷墟小屯18號墓出土。
高11.2、口徑32.7厘米。
腹外壁飾目雷紋，盤口内壁飾一周魚紋，内底飾龍紋，鈍角呈錘形，首尾繞盤底兩周，體飾雲雷紋、菱形紋和節狀紋等，圈足飾獸面紋。
現藏中國社會科學院考古研究所。

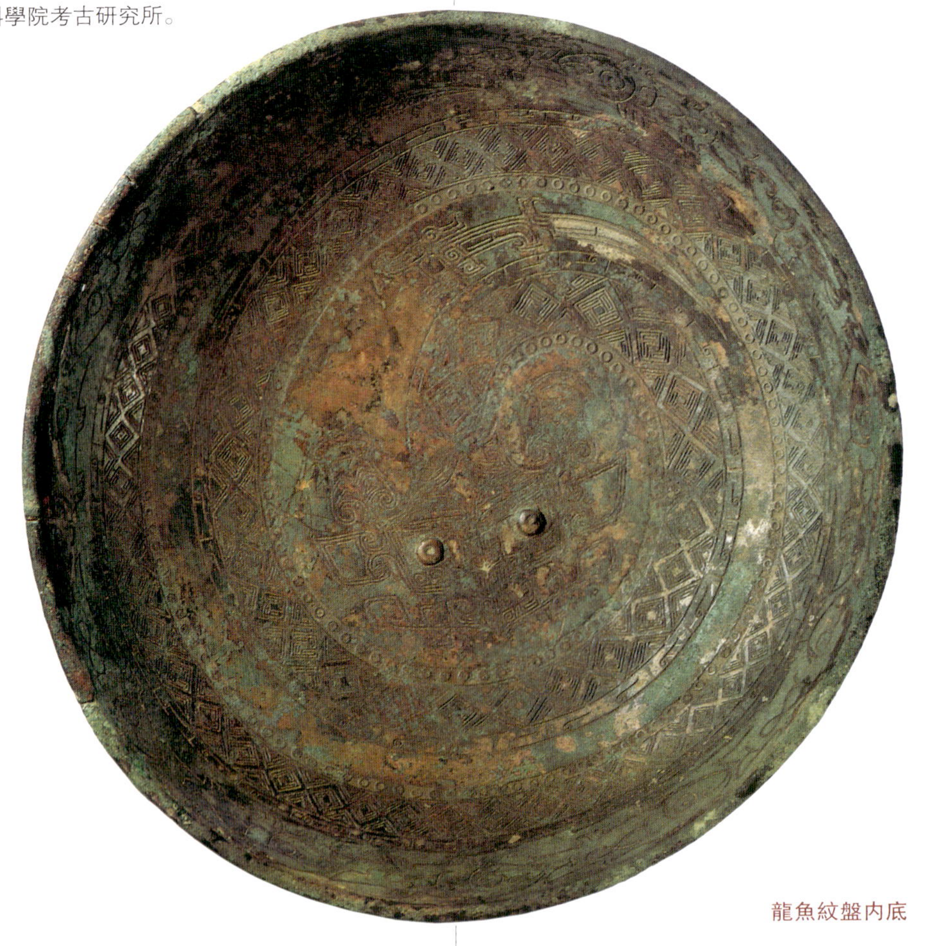

龍魚紋盤内底

蟠龍紋盤

商

傳河南安陽市出土。

高12.3、口徑32.4厘米。

腹外壁飾龍紋和三角紋，腹内壁飾動物紋三組，每組魚、龍、鳥各一。内底飾蟠龍一條，龍首居中，身飾菱形紋。圈足飾龍紋。

現藏美國華盛頓弗利爾美術館。

蟠龍紋盤内底

魚紋盤

商

河南安陽市武官259號墓出土。

高19.4、口徑46.3厘米。

腹外壁飾龍紋，上下以聯珠紋爲界，内底陰刻渦紋及三條魚紋，圈足飾獸面紋。

現藏中國社會科學院考古研究所。

蟠龍紋盤

商

傳河南安陽市出土。

高10、口徑31.2厘米。

盤沿飾六個對稱圓雕小鳥，内壁飾連續魚紋、龍紋和鳥紋。内底飾蟠龍紋，身飾鱗紋。

現藏日本神户白鶴美術館。

旅盤

商
傳河南安陽市出土。
口徑33厘米。
盤沿飾六個對稱圓雕小鳥，内壁飾連續龜紋、鳥紋和虎紋三組，内底中央飾龜紋，龜背上有圓圈紋。外壁飾目紋，圈足飾獸面紋。内底龜紋旁有銘文。
現藏美國舊金山亞洲藝術博物館。

蛙魚紋斗

商
河南安陽市殷墟小屯331號墓出土。
長24.2、斗徑5.8厘米。
圓形斗身，圜底，扁平長條形柄，中部圓形，前端分叉與斗相接，斗飾目雷紋，以聯珠紋爲欄。柄中部表面飾蛙紋，前部和後部各飾魚紋兩條。
現藏臺灣“中央研究院歷史語言研究所”。

蟬紋斗

商

河南安陽市孝民屯907號墓出土。

柄長28.5厘米，斗徑4.5、高5.6厘米。

桶形斗身，素面，“S”形柄，柄頭扇面形，上飾蟬紋和獸面紋。

現藏中國社會科學院考古研究所。

爻斗

商

長38厘米。

桶形斗，斗身飾直條紋。“S”形柄，飾長條溝紋，柄背面有銘文一字。

現藏上海博物館。

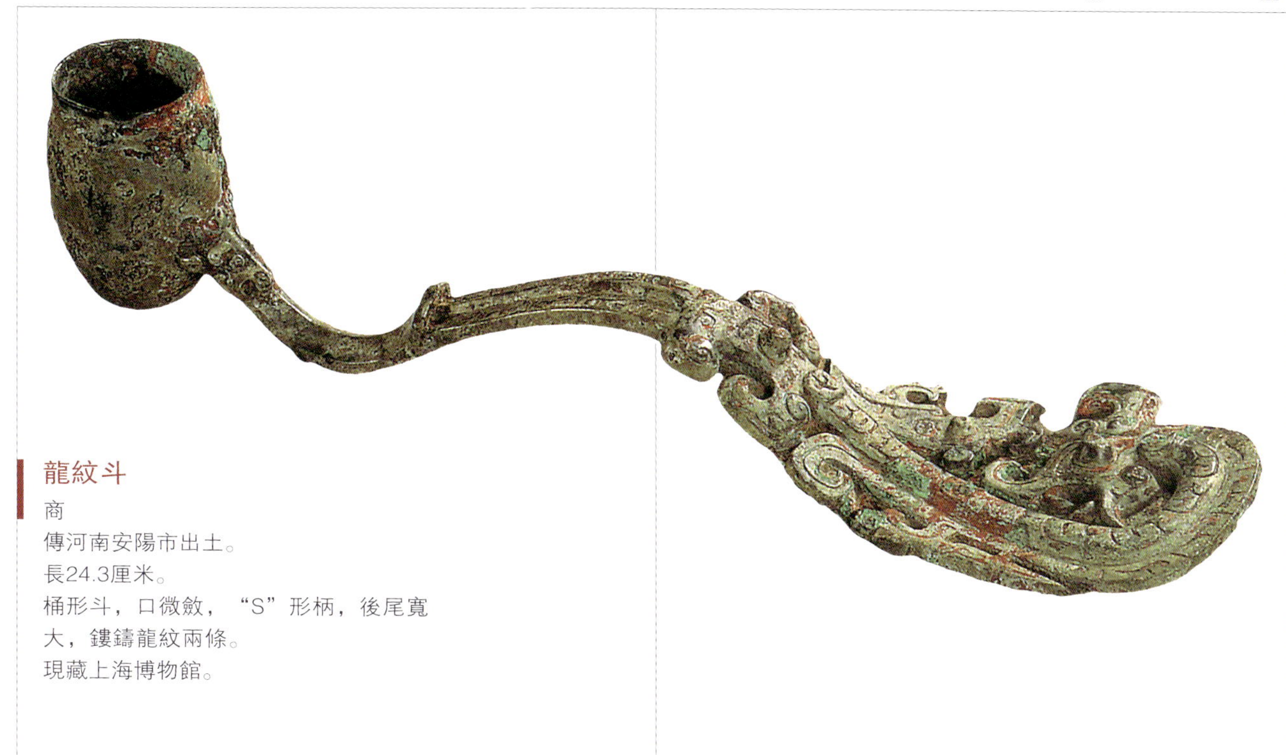

龍紋斗

商
傳河南安陽市出土。
長24.3厘米。
桶形斗，口微斂，“S”形柄，後尾寬大，鏤鑄龍紋兩條。
現藏上海博物館。

鳥首柄器

商
高17.3、寬16.5厘米。
整體爲鳥狀，三分襠式袋足，一袋腹上置，兩袋腹間置，鳥首形柄。
現藏故宮博物院。

亞㑹姍編鐃

商

河南安陽市大司空312號墓出土。

左高13.9、中高15.8、右高18.6厘米。

梯形鐃身，口沿弧形内凹，鐃甬中空，正面飾獸面紋。

鐃身内壁有銘文三字。

現藏中國國家博物館。

亞址編鐃

商

河南安陽市郭家莊160號墓出土。

左高24.6、中高20.6、右高17.2厘米。

梯形鐃身，口沿弧形内凹，鐃甬中空，兩面飾獸面紋。

柄上端有銘文“中”字，鼓内壁亦有銘文。

現藏中國社會科學院考古研究所。

中編鐃

商

河南安陽市孝民屯699號墓出土。

左高21、中高18、右高14.3厘米。

梯形鐃身，口沿弧形内凹，甬中空。鐃身兩面飾獸面紋，三器柄部均有銘文“中”字。

現藏中國社會科學院考古研究所。

獸面紋鐃

商

高17.9厘米。

甬中空，并與鉦相通。鐃身兩面飾分解式獸面紋。

現藏上海博物館。

䣄亞鐃

商

高19厘米。

甬中空，鼓部有一方塊形凸起。鉦部飾獸面紋，甬端兩側鑄銘文三字。

現藏上海博物館。

獸面紋鐃

商

高19厘米。

柄中空。鐃體兩面飾帶角獸面紋。

現藏北京市保利藝術博物館。

夔紋鉞

商

湖北武漢市黄陂區盤龍城遺址出土。

高40.8、刃寬25.5厘米。

扁平長内，本有兩長條形穿。鉞身中央有一大圓孔，近本處及兩側均飾帶狀夔紋。

現藏湖北省博物館。

獸面紋鉞

商

河北藁城市臺西村出土。

高26.5、刃寬21.5厘米。

内飾目紋，援兩側各飾半個獸面紋，正反面相合爲一完整獸面。鉞身中部鏤一口形孔，上爲鋸齒，兩側爲一對鋒利獠牙。

現藏河北省文物研究所。

婦好神面紋鉞

商

河南安陽市殷墟婦好墓出土。

高39.5、刃寬37.3、內高5.9厘米。

鉞體寬大，弧刃尖角，平肩寬直，內部短小。鉞體近肩處有兩個長方形穿，兩側有一丁一竪相間的槽形裝飾，後部在一片長方形雲雷紋地上飾相對的浮雕狀虎紋，二虎間有一神面，二虎後還各有一夔紋。在鉞身中心部位，有圖案化的“婦好”銘文。雙虎神面的紋飾在商文化銅器數見，其含意引起研究者廣泛的關注。

現藏中國社會科學院考古研究所。

神面大鉞

商

山東青州市蘇埠屯大墓出土。

高32.7、刃寬34.5厘米。

鉞體瘦高，眉、目、鼻、耳、口皆突起，兩側有扉棱，嘴角兩側各有一個在亞字形框中的族名文字“醜”。銘文右爲正書，左爲反書。

現藏中國國家博物館。

神面大鉞

商

山東青州市蘇埠屯大墓出土。

高30.7、刃寬35.8厘米。

形體巨大，寬刃，鉞身有透空的圓目露齒神面。體寬扁，眉、目、鼻皆突起，口稍凹下。鉞在中國先秦時期是擁有軍事權力的象徵，該鉞形體巨大，很可能是商代晚期反叛商王朝而獨立的東夷首領所擁有的象徵王權的禮儀性兵器。

現藏中國國家博物館。

獸面紋大鉞

商

高34.3、寬36.5厘米。

肩有二穿，側飾扉棱，弧刃外侈。鉞身飾獸面紋、圓形紋和三角獸面紋。

現藏故宮博物院。

人面大鉞

商

高30.4、刃寬35厘米。

刃較平直，角外侈。鉞身飾鏤空人面紋，耳下飾變形夔紋。肩部二長條形穿，方形短內。

現藏德國科隆東亞藝術博物館。

獸面紋鉞

商

河南安陽市大司空539號墓出土。

長22.4、刃寬16.8厘米。

方形內偏于一側，兩長方形穿不對稱，鉞身、內表均飾獸面紋。

現藏中國社會科學院考古研究所。

三角雲紋鉞

商

河南安陽市郭家莊160號墓出土。

高33.2、刃寬28厘米。

長方形内，肩飾二長方形凹槽，鉞身兩側有“T”形凹槽五對，鉞身飾六乳圓圈紋三個，間飾幾何雲紋，下飾三角紋。

現藏中國社會科學院考古研究所。

獸面紋鉞

商

傳河南安陽市出土。

高35、寬37.8厘米。

長方形内，弧邊闊刃，肩飾對稱長條形穿。鉞身飾透雕獸面紋和龍紋。

現藏德國科隆東亞藝術博物館。

獸面紋鉞

商

河南安陽市郭家莊160號墓出土。

高23、刃寬15厘米。

長梯形内，上飾獸面紋，肩部二穿，鉞身上部飾四瓣目紋，下爲三角紋。

現藏中國社會科學院考古研究所。

虎紋鉞

商

高34.3、刃寬23厘米。

銎兩側有二方形釘孔，上端浮雕虎紋。透雕龍首形内。刃角外侈，鉞身近本處飾夔紋。

現藏湖南省博物館。

獸面紋鉞

商

高18.4、寬8.6厘米。

弧刃直內，內飾圓渦紋和芒狀紋，身飾半浮雕獸面紋，雷紋襯地。

現藏故宮博物院。

龔子鉞

商

高20.3、寬13厘米。

平肩方內，肩有二穿，肩下飾虎紋，面目凶惡。內上銘有二字“龔子”。

現藏故宮博物院。

兮鉞

商

高16.7、刃寬17.7厘米。

圓弧形刃，刃角反轉。鉞身對飾有角獸紋，足攫一鳥身獸首怪獸，以雷紋襯地。上下有欄，長短不同，內有圓穿，鑄銘“兮”字，夾以立羽形紋。

現藏英國。

鑲嵌獸面紋戈

商

長22.9厘米。

三角形援，上刃斜弧，下刃平直，中部起脊，援上一圓形穿。內上一穿內飾綠松石鑲嵌的獸面紋。

現藏上海博物館。

三角援戈

商

河南安陽市孝民屯355號墓出土。

長20.5厘米。

三角形援、長方形內，援截面呈菱形。

現藏中國社會科學院考古研究所。

獸面紋戈

商

長24、寬8.1厘米。

直內，援起中脊。欄下飾三角獸面紋，

獸角凸起，角間飾蟬紋。

現藏故宮博物院。

獸面紋戈

商

山西靈石縣旌介1號墓出土。

長19厘米。

等腰三角形援，中間起脊，透雕魚刺紋，邊界框以聯珠紋。近欄處飾簡化獸面紋，以雷紋襯地。內透雕捲雲紋。

現藏山西省考古研究所。

鳥形曲内戈

商

河南安陽市孝民屯613號墓出土。

長29.2厘米。

長援微曲，援截面呈菱形，有上下欄。鏤孔鳥首形內，鳥首有冠。

現藏中國社會科學院考古研究所。

直内戈

商
河南安陽市孝民屯692號墓出土。
長23.4厘米。
直內，援末呈圭首形，有上下欄，內末端有刺。
現藏中國社會科學院考古研究所。

銎内戈

商
河南安陽市孝民屯928號墓出土。
長23.8厘米。
援中脊呈三菱形，長方形內，橄欖形銎孔，
內後端有獸面紋。
現藏中國社會科學院考古研究所。

祀譜三戈

商

出土地點有河北易縣、保定和平山三説。

一套三件，分別長27.5、27.6、27.1厘米。

形制紋飾基本相同，皆爲直内無胡或微胡型。長援微勾，中脊不顯，有闌、無穿，内尾作鳥形。援正面刻銘，字數各戈不一，内容爲作器者已故祖、父、兄諸世的日干廟號。諸祖廟號戈銘爲：“大且日己。且日丁。且日乙。且日庚。且日丁。且日己。且日己。”諸父廟號戈銘爲：“且日乙。大父日癸。大父日癸。中父日癸。父日癸。父日辛。父日己。”諸兄廟號戈銘爲：“大兄日乙。兄日戊。兄日壬。兄日癸。兄日丙。”祀譜戈是商代僅有的長銘銅戈，戈上的祀譜銘文對于研究商人的親族制度和這類戈的用法具有重要的意義。

現藏遼寧省博物館。

鑲嵌龍紋銅柲玉戈

商

傳河南安陽市出土。

長35.4厘米。

玉戈直刃弧背，表面飾獸面紋，脊起扉棱。裝銅柄，柄上有龠，下有鐏，表面以綠松石鑲嵌出獸面紋、龍紋和蕉葉紋等。

現藏美國華盛頓弗利爾美術館。

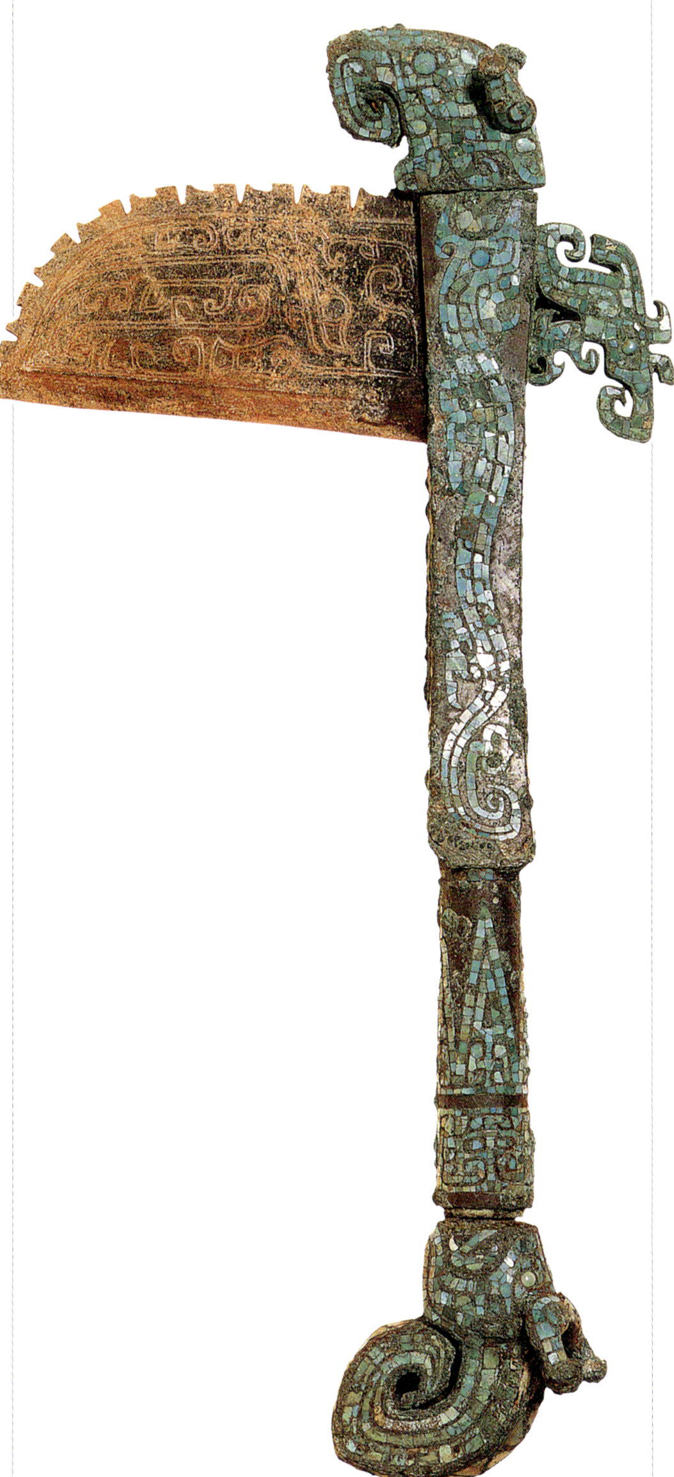

矛

商

河南安陽市孝民屯729號墓出土。

長26.6厘米。

等腰三角形矛葉，中脊凸起，銎口菱形，銎兩側有半圓形環。

現藏中國社會科學院考古研究所。

矛

商

河南安陽市孝民屯917號墓出土。

長25厘米。

矛葉呈亞腰形，葉底有二孔。橄欖形銎口，骹有三角雲雷紋及獸面紋。

現藏中國社會科學院考古研究所。

獸面紋矛

商

山西靈石縣旌介2號墓出土。

長26.4厘米。

亞腰寬葉形矛，葉底兩穿，葉間中部起脊，骹飾獸面紋、蕉葉紋。銎口加厚。

現藏山西省考古研究所。

玉葉矛

商

河南安陽市大司空村25號墓出土。

通長21、柄長12厘米。

矛身爲玉石琢磨而成，前尖後闊如尖葉，鑲嵌在骹上。銅製的骹部頂端作蛇首以銜矛身，其外飾獸面紋，後部靠銎處飾獸面紋，紋樣均以綠松石鑲嵌。以玉石作鋒刃部分的複合銅兵器在商文化中有多例，它們都是儀仗用器。

現藏中國社會科學院考古研究所。

龍紋捲首刀

商

河南安陽市孝民屯1713號墓出土。

長31、頭寬11.8、底寬8.5厘米。

捲首形刀，刀背上有三套筒用以安柄，刀身中部兩面各飾龍紋四條，近背處飾十個乳釘。

現藏中國社會科學院考古研究所。

捲首刀

商

長34.6、寬11.8厘米。

前鋒弧形，刀身一側開刃，一側有欄，欄有三穿。

現藏故宮博物院。

大刀

商

長69.2、寬12.5厘米。

形體特大，柄殘。弧形刃，刀脊起扉棱。

現藏故宮博物院。

獸面紋胄

商

高18.5、面寬18厘米。

胄面飾簡化獸面紋，有角，正視似牛面形。

現藏北京市保利藝術博物館。

獸面紋胄

商

傳河南安陽市出土。

高22.8、寬22.5厘米。

胄體深長，前有長方形缺口，周壁較長，上有一道從前到後的凸棱，將胄分爲對稱左右兩半。頂有圓管可插纓飾，浮雕狀獸面紋僅突出雙眼、雙耳和向後彎曲的雙角。

現藏故宫博物院。

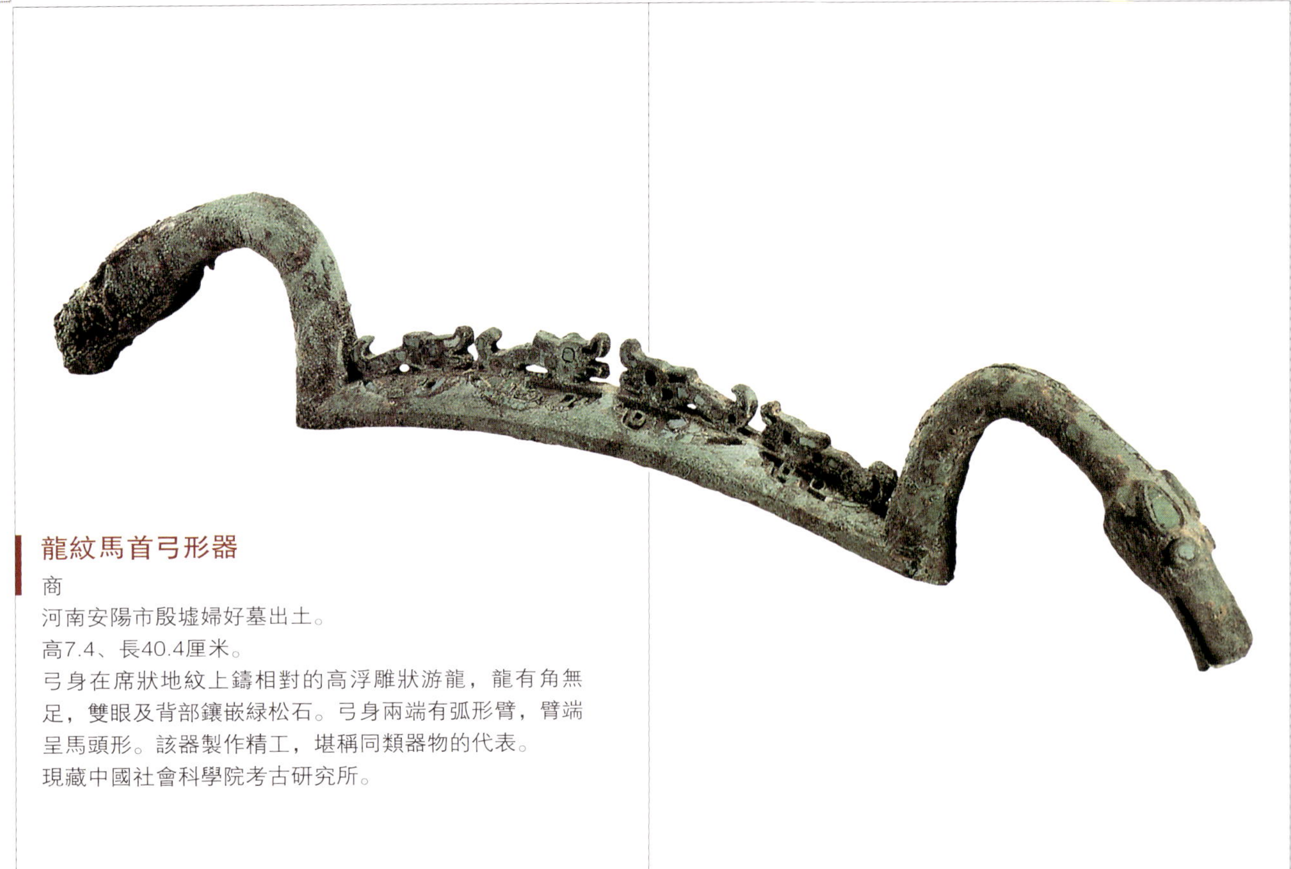

龍紋馬首弓形器

商
河南安陽市殷墟婦好墓出土。
高7.4、長40.4厘米。
弓身在席狀地紋上鑄相對的高浮雕狀游龍，龍有角無足，雙眼及背部鑲嵌緑松石。弓身兩端有弧形臂，臂端呈馬頭形。該器製作精工，堪稱同類器物的代表。
現藏中國社會科學院考古研究所。

八角星紋弓形器

商
河南安陽市郭家莊160號墓出土。
長33.9、高9.8厘米。
弓身扁平，中部上拱，弓身兩端有弧形臂，臂端爲鏤孔鈴。弓身中部有圓形凸泡，外爲八角形星紋。
現藏中國社會科學院考古研究所。

人面獸紋弓形器

商

傳河南安陽市出土。

長34.5厘米。

弓身扁平，中部上拱，弓身兩端弧形臂端爲鏤孔鈴。弓面正中有一半球形乳突，原似有鑲嵌物，兩側均飾獸面紋和人面獸紋。

現藏上海博物館。

人面獸紋弓形器紋飾

鏟（右圖）

商

河南安陽市苗圃出土。

高21.2、寬11厘米。

鏟刃部有剥落痕，有長方形銎以裝柄。

現藏中國社會科學院考古研究所。

射女方爐

商

高15.7厘米，口長27.6、寬26.1厘米。

腹上部飾一周蟬紋，腹中部和足部飾獸面紋，雷紋襯地。

現藏山東省博物館。

爐

商
河南安陽市郭家莊160號墓出土。
高20、口徑31.5–37.2厘米。
長方形侈口，几形足，足上邊中部有三角形缺口。腹短邊外側飾獸面形對耳，内穿繩索形把手。
現藏中國社會科學院考古研究所。

箕形器

商
河南安陽市大司空539號墓出土。
長27.3厘米。
器身箕形，後檔板中部有柄，柄中空，柄底面中部有孔，以釘插銷。
現藏中國社會科學院考古研究所。

葉脉紋鏡

商
河南安陽市殷墟婦好墓出土。
直徑12.5厘米。
鏡面平直。鏡背中央有橋形鈕，素圓鈕座，内區紋飾以十字寬帶分爲四小區，其内填以葉脉紋，外區飾一周乳釘紋。無明顯鏡緣。此鏡在已知商代銅鏡中尺寸最大。
現藏中國國家博物館。

同心圓紋鏡

商
河南安陽市殷墟婦好墓出土。
直徑11.8厘米。
弓形鈕。以鏡鈕爲圓心飾同心圓紋六周，間飾短綫。鏡身較薄。
現藏中國社會科學院考古研究所。